Renée Pélagie
marquise de Sade

DU MÊME AUTEUR

L'État de santé, Buchet-Chastel, 1985.
Les Nouveaux Vieux, Le Pré aux Clercs, 1989.
Le Corps défendu, Lattès, 1994.
Histoires secrètes de la psychanalyse, Albin Michel, 1997.
L'Énigme de la Vénus hottentote, Lattès, 2000 ; Payot, 2002.

Gérard Badou

Renée Pélagie
marquise de Sade

Payot

Nous autres libertins, nous prenons des femmes pour être nos esclaves : leur qualité d'épouses les rend plus soumises que des maîtresses.

Marquis de SADE,
Les Cent Vingt Journées de Sodome.

I

Trois cent mille livres de dot

Ses mains sont-elles aussi potelées que l'affirme sa mère ? Renée, en tout cas, a pris l'habitude de les tenir cachées dans son dos, ce qui lui donne des airs de petite fille qui ne sont plus de mise à dix-huit ans. Mais « la Présidente », ainsi qu'il est convenu d'appeler madame de Montreuil, se soucie peu des inhibitions de sa fille aînée. Ce qui lui importe, c'est de parachever l'éducation qui fera de Renée Pélagie, née le 2 décembre 1741, la digne héritière de son aristocratique famille. Certes, il s'agit d'une noblesse de très fraîche date. Les parents de la jeune fille sont d'une origine on ne peut plus roturière. C'est seulement à la génération précédente qu'ont été acquis les noms à particule : de Launay du côté paternel, de Plissay pour la branche maternelle. Pratique assez courante à une époque où le blason peut s'obtenir par l'achat d'une charge ou d'un domaine. Cela a été le cas l'année même du mariage des parents de Renée Pélagie, en 1740, quand son grand-père de Launay s'est offert en Normandie la baronnie de Montreuil. D'où ce double et rutilant patronyme, de Launay de Montreuil, que la famille arbore avec l'ostentation des néophytes.

À la récente noblesse du titre s'ajoute la solennité de la fonction. Claude René de Montreuil a occupé la très lucrative charge de président de la Cour des aides, redoutable tribunal qui, sous sa trompeuse appellation, a pour rôle non pas d'aider mais de juger et de condamner les mauvais contribuables du royaume. Monsieur de Montreuil n'en est plus que le président honoraire, mais son épouse, Marie Madeleine, continue de se faire appeler « la Présidente » avec une arrogance qui conforte le caractère autoritaire de cette dame aux traits aigus et aux gestes vifs. Une femme extrême, ne cherchant même pas à dissimuler son orgueil qu'elle affiche comme un défi. Ses quatre maternités autant que son rang social justifient à ses yeux la considération qu'elle estime lui revenir de droit et qui doit évidemment rejaillir sur sa progéniture.

Son fils, Louis Guillaume, commence alors en province une carrière de fonctionnaire royal attaché à l'intendance. Il entretient de la sorte la vocation familiale, monsieur de Montreuil ayant été l'un de ces hommes de loi que l'on appelle alors familière-ment « robins ». Il en garde d'ailleurs cette solennité d'expression propre à inspirer le respect et ce pas glissé des habitués du prétoire. Chez lui, pourtant, son incertaine autorité se liquéfie au premier froncement de sourcils de la Présidente. Madame de Montreuil détient donc la haute main sur la riche demeure que la famille habite à Paris, rue

Neuve-Luxembourg, l'actuelle rue Cambon : une voie percée quelques décennies auparavant pour y loger les nouvelles fortunes dans un luxe de bon aloi annonçant le style Louis XV.

Tel est le cadre dans lequel Renée Pélagie est censée s'épanouir. Non sans tracas pour sa mère, qui s'estime mal récompensée des efforts qu'elle déploie en faveur de sa fille. N'a-t-elle pas confié son éducation à un précepteur, l'abbé Gaudemar, un homme de pieuse érudition ? N'a-t-elle pas tenu à ce que son enfant ait sa propre femme de chambre ? Ne dépense-t-elle pas sans compter pour serrer d'innombrables toilettes dans les armoires de son héritière ? Sans oublier le maître de musique qui s'efforce d'enseigner la harpe et le clavecin à la jouvencelle. Autant d'attentions tout à fait exceptionnelles à cette époque où les filles des meilleures familles se trouvent exilées dans un couvent jusqu'à leur mariage.

Or Renée Pélagie ne semble tirer aucun bénéfice de ces privilèges. Non qu'elle soit laide ou stupide, bien au contraire : visage légèrement arrondi d'une attachante banalité, cheveux châtains coiffés en boucles, traits réguliers, yeux gris, nez légèrement retroussé, petite bouche aux lèvres minces, taille bien tournée, pieds menus… Bref, une femme bien faite. Mais sans grâce. Anéantie par sa timidité, elle refoule tous ces gestes, toutes ces mimiques qui suscitent le charme mais qui heurtent sa modestie. À l'inverse d'une coquette, elle a plutôt l'esprit pratique et des goûts simples.

L'abbé Gaudemar lui ayant appris à lire dans le grand livre de la vie des saints, elle a été bouleversée par le sacrifice des martyrs. Elle en a tiré une profonde confiance dans la force d'abnégation que la foi pouvait inspirer. Ainsi se soumet-elle, en toute candeur, aux exigences de sa mère.

La vie familiale se déroule sans trop de heurts, la Présidente ayant apparemment reporté une part de ses ambitions sur sa cadette, Jeanne Prospère, alors âgée de huit ans, beaucoup plus espiègle que sa sœur et qui, au sortir de l'enfance, se fera appeler Anne Prospère.

Monsieur de Montreuil, qui a préparé son fils aux respectables fonctions du Trésor royal, se garde bien d'intervenir dans l'éducation de ses filles. Depuis quelques années il a revendu sa charge et il consacre désormais la plus large part de son temps à administrer ses propres affaires et ses domaines. Ses résidences d'Échauffour, en Normandie, de Vallery, près de Sens, et de La Verrière, au voisinage de Port-Royal des Champs, ne sont pas seulement des propriétés d'agrément mais aussi de grosses fermes. En homme suspicieux, le Président a l'œil sur ses métayers, qu'il visite fréquemment et par surprise. À la belle saison, c'est toute la famille accompagnée des domestiques qui entreprend le voyage vers la Bourgogne, la vallée de Chevreuse ou la Normandie pour y goûter les joies simples des séjours campagnards.

Depuis sa prime jeunesse, c'est à Échauffour que Renée Pélagie aime surtout se retrouver. Ces lieux ont été propices aux jeux de l'enfance puis aux rêveries de l'adolescence, bien que madame de Montreuil ait toujours sévèrement veillé à ce que ses filles ne se fassent pas les rares amies qu'elles auraient pu se gagner parmi les relations des environs, voire chez les paysans de la ferme jouxtant le château.

Lorsque la Présidente et ses demoiselles se rendent au Merlerault, le gros bourg voisin, pour y faire des emplettes, Denis, l'aîné du métayer, atelle les chevaux à la calèche et tient les bêtes en bride jusqu'à ce que la châtelaine ait donné l'ordre du départ au cocher. C'est au regard que lui a lancé un jour le garçon alors qu'elle montait en voiture que Renée Pélagie a pris pour la première fois conscience de sa féminité – encore que cette notion soit très floue dans son esprit.

L'éducation succincte qu'elle doit à sa mère et à l'abbé Gaudemar la confine dans une enfance prolongée qui ne la prépare guère à sa future vie de femme. Soigneusement tenue à l'écart des jeunes filles de son âge et, plus encore, des livres qui pourraient l'initier aux émois du cœur et des sens, elle ignore tout des choses de l'amour. Pis, ayant subi l'indifférence froide et hautaine de sa mère, elle ne s'est jamais sentie aimée, et moins encore depuis que madame de Montreuil a mis au monde une troisième fille, Françoise, en octobre 1760.

Il semble que Renée Pélagie, déjà frustrée de tendresse maternelle, a souffert de cette nouvelle naissance, ce qui a eu pour effet de la rapprocher de son autre sœur cadette, Jeanne Prospère, avec qui s'est instaurée une étroite complicité. Partageant les jeux et subissant les caprices de la fillette, elle s'est infantilisée elle-même plus encore. On ne s'étonnera donc pas qu'à vingt ans elle soit une oie blanche un peu niaise et confite en dévotion, soumise à l'égoïsme de sa mère et aux sermons de son confesseur.

La Présidente, tout à fait consciente de l'immaturité de son aînée, n'en caresse pas moins depuis plusieurs mois le projet de la marier. Non seulement par conformisme social mais surtout pour assouvir ses propres ambitions. L'éducation qu'elle a donnée à Renée Pélagie, depuis le choix de sa nourrice jusqu'à celui de son précepteur, n'avait d'autre but : il ne s'agissait pas d'en faire une savante du genre bas-bleu, une coquette ni même une femme heureuse, mais une fille à marier, bonne chrétienne, sachant faire élégamment la révérence et jouer de l'éventail, touchant de la harpe et du clavecin et, qualité suprême, valant trois cent mille livres de dot ! Somme considérable : songeons qu'à l'époque un ouvrier maçon gagne environ une livre par jour, un laboureur moins encore ; une famille modeste peut vivre à peu près correctement avec quatre cents livres par an ; un cheval coûte trente livres… et un gendre tel que l'envisagent monsieur et madame de Launay de Montreuil vaut donc trois cent mille livres.

À ce prix, le prétendant doit satisfaire à plusieurs critères, surtout celui de la naissance. Car telle est l'ambition obsédante de la Présidente : s'allier à une famille d'authentique noblesse et de haute extraction. Elle a depuis longtemps établi un inventaire détaillé de l'aristocratie qui ferait pâlir de jalousie l'héraldiste le plus distingué. Y pointant les beaux partis, elle ne mesure que plus amèrement le gouffre qui la sépare de ce monde si fascinant à ses yeux. Elle ne fréquente aucun des salons féminins à la mode dans lesquels s'échangent tous les potins qui scellent l'appartenance à la caste supérieure. Elle ne compte aucune amie qui pourrait au moins évoquer son nom au cours d'une conversation mondaine. Ses relations les plus glorieuses se réduisent aux épouses de quelques magistrats amis de son mari. Elle serait bouffie d'orgueil à la simple idée de pouvoir un jour se mêler à quelques dames de la Cour, fût-ce par l'intermédiaire d'une femme de chambre. Frustrée de n'être pas connue du beau monde, la Présidente a donc décidé d'acheter la considération à laquelle elle aspire pour elle-même et les siens.

Fine stratège, elle a confié au bon abbé Gaudemar le soin d'informer sa hiérarchie des projets matrimoniaux des Launay de Montreuil, sans omettre la composante pécuniaire du futur contrat. Le précepteur de Renée Pélagie s'est promptement acquitté de sa mission, recourant à des mots à des chiffres qui ne peuvent qu'éveiller la bienveillance du clergé. Bientôt, de curé en chanoine, de paroisse en diocèse, de confidence en suggestion, l'étonnante dot ne tarde pas à alimenter la rumeur. Le bruit court qu'une telle somme ne peut avoir pour objet que de marier une fille très laide. Heureusement pour elle, Renée Pélagie ignore tout de ces préjugés peu flatteurs. Tenue à l'écart des pourparlers entre ses parents et d'éventuels prétendants, elle n'en perçoit les péripéties qu'à travers l'irritabilité croissante de sa mère.

Y a-t-il de nombreux postulants ? Qui sont-ils ? Mystère. Échecs, refus, déceptions restent enfouis au plus profond des secrets de famille et des mémoires notariales. Un an passe. Le vingt et unième anniversaire de la jeune fille, le 2 décembre 1762, est fêté dans une feinte allégresse qui dissimule mal l'impatience matrimoniale que les parents nourrissent à son égard.

L'année suivante, hélas ! ne se présente pas sous de meilleurs auspices. Certes, en février 1763 s'achève la guerre qui a opposé durant sept ans la plupart des grandes puissances en Europe. Le traité qui y met fin menace de ruiner la Présidente, dont la famille s'est enrichie grâce aux activités de la Compagnie des Indes orientales. Or voici que la France se voit contrainte d'abandonner l'Inde à l'Angleterre. Triste perspective pour la Compagnie… et pour les finances personnelles de madame de Montreuil. Mais cette dernière, en femme de tête, sait dignement faire face à l'épreuve, se montrant encore plus résolue à marier sa fille sans que la dot soit réduite d'un liard.

À la mi-mars 1763, un certain Jean Baptiste, comte de Sade, entre confidentiellement en relation avec monsieur de Launay de Montreuil. Sa démarche a pour objet d'évoquer d'éventuelles accordailles entre leurs enfants respectifs, Renée Pélagie et Donatien Alphonse. Le réflexe immédiat des époux de Launay consiste évidemment à s'enquérir des qualités de la famille de Sade. Le cher abbé Gaudemar est aussitôt mis à contribution et doit rendre compte jour après jour des résultats de son enquête. Ses premières informations, de source cléricale, sont plutôt floues. Le comte de Sade est un aristocrate provençal peu connu à Paris. Il compte dans sa famille deux religieux, un frère abbé et une sœur abbesse – indications beaucoup trop vagues pour satisfaire la curiosité de la Présidente. Gaudemar repart en chasse et recueille de nouveaux indices. Peu à peu, le portrait du comte s'affine. Il s'agit d'un ancien diplomate qui a été chargé de mission en Angleterre. Ses titres de noblesse remontent à plusieurs générations.

Il possède, semble-t-il, en Provence, non loin d'Avignon, des terres et un château. Son fils est, dit-on, officier dans les armées du roi.

Voilà, au regard des Launay, qui commence à donner corps à la personnalité du comte de Sade. Encore le tableau brossé par l'abbé est-il très incomplet, puisqu'il ignore notamment le fait que monsieur de Sade, habitué de la Cour, a été l'un des proches du duc de Condé. En tout état de cause, il convient de lui répondre sans plus tarder et de lui proposer une rencontre : fin mars, Jean Baptiste de Sade est introduit, rue Neuve-Luxembourg, dans le salon tendu de cretonne bleue et meublé Régence.

D'allure altière, portant beau, le front haut sous une impeccable perruque, le nez aquilin, un pli de morgue au coin des lèvres, c'est lui qui, dans l'atmosphère très convenue propre à ce genre d'entrevue, met à l'aise ses interlocuteurs, peu coutumiers des mondanités. Beau parleur, il entreprend d'abord d'éblouir ses hôtes en évoquant les origines de sa famille, l'une des plus anciennes noblesses de Provence, qui remonte au XIIe siècle et compte parmi ses membres la belle Laure de Noves, épouse d'Hugues de Sade, laquelle a inspiré à Pétrarque une immense passion, platonique, qu'il a sublimée dans ses plus vibrants poèmes. Autre ancêtre, Bertrand de Sade, cité par Nostradamus dans ses fameux carnets. Percevant chez les Montreuil une curiosité aussi sensible aux réalités contemporaines qu'aux références historiques, le comte décrit avec emphase son château de La Coste et s'empresse d'évoquer son épouse, Marie Éléonore de Maillé de Carman, alliée à la maison de Bourbon et aux Condé. Il y a dans ces noms fleurdelisés de quoi flatter l'oreille de la Présidente.

Estimant qu'après ces préambules le moment est venu d'entrer dans le vif du sujet, monsieur de Sade parle enfin de son fils. Donatien, né en 1740, a été formé durant toute son enfance par son oncle l'abbé de Sade dans ses châteaux de Saint-Léger-d'Ébreuil et de Saumanc. Le garçon a ensuite été confié à un distingué précepteur, l'abbé Amblet, qui tient encore le rôle de conseiller de la famille.

Piété, éducation, fortune, voilà qui introduit joliment le prétendant. Mais ne manque-t-il pas la bravoure dans ce tableau ? Que nenni. Après avoir poursuivi ses études à Paris chez les jésuites du collège Louis-le-Grand, Donatien a choisi la carrière militaire. D'abord élève à l'école des chevau-légers, réservée à la plus haute noblesse, puis lieutenant d'infanterie, il a vaillamment participé à la guerre de Sept Ans avant d'être promu capitaine de cavalerie au régiment de Bourgogne.

Le comte s'émerveille lui-même du portrait qu'il vient de brosser de son fils. Quant aux Montreuil, sous le charme, ils pensent vraiment avoir trouvé la brillante alliance dont ils rêvaient. Cependant, toujours méfiante, la Présidente préfère remettre au dimanche suivant la présentation de Renée Pélagie à monsieur de Sade. D'ici là, l'abbé Gaudemar aura complété ses renseignements.

Celui-ci ne tarde d'ailleurs pas à découvrir que pendant la guerre de Sept Ans les prouesses de Donatien n'ont pas été exclusivement guerrières. Le jeune homme s'est acquis en effet une solide réputation de libertin, adepte des plaisirs les plus variés.

« Quel est le garçon qui n'a jamais fait de bêtise ? » commente madame de Montreuil, faisant preuve d'une inhabituelle indulgence lorsque l'abbé lui fait part de ses découvertes. Elle ne paraît guère plus choquée d'apprendre que le père de Donatien a été admis dans la franc-maçonnerie à Londres, en même temps que Montesquieu, quand il était diplomate. En revanche, on peut se demander quelle aurait été la réaction de la Présidente si son abbé avait découvert que le distingué Jean Baptiste de Sade avait été arrêté en 1724 aux Tuileries pour racolage homosexuel. Encore un péché de jeunesse, sans doute : il avait alors vingt-deux ans.

La semaine suivante, comme convenu, le comte rend de nouveau visite aux Montreuil afin de se faire présenter Renée Pélagie. Ayant toujours en tête la fabuleuse dot de trois cent mille livres dont est nantie la jeune fille, il est d'autant plus agréablement surpris en voyant paraître celle-ci. Il la décrit en ces termes dans une lettre à sa sœur l'abbesse : « Je n'ai pas trouvé la petite laide, dimanche. Elle est fort bien faite. La gorge jolie, la main fort blanche. Rien de choquant, un caractère charmant. » À l'évidence, il s'attendait au pire.

Toutefois, la demoiselle eût-elle été laide et stupide que le comte n'en aurait pas moins continué de s'activer pour conclure le mariage dans les meilleurs délais. Il lui faut pour cela agir en fin diplomate auprès des Montreuil, au prix d'une subtile manœuvre : les convaincre de consentir à cette union sans avoir vu le fiancé. Et pour cause. C'est sur ordre de son père que Donatien a quitté Paris pour la Provence. La raison, impérative, c'est qu'il n'est tout simplement pas présentable. Malade, amaigri, ce jeune homme que son père a décrit comme un fringant cavalier souffre alors d'un début de tuberculose et d'une chaude-pisse amoureusement partagée avec l'une de ses maîtresses. Cette dernière n'est autre que Laure Victoire de Lauris, sa belle voisine de Vacqueyras qu'il projetait d'épouser et avec laquelle il est désormais contraint de rompre sur injonction paternelle.

Cynique, le comte de Sade est tout à fait conscient de la malhonnêteté qu'il commet à l'encontre des Montreuil : « Je ne saurais m'empêcher de les plaindre de l'acquisition qu'ils vont faire, écrit-il à son frère, et je me reproche de les tromper sur le caractère de Donatien. » Ce dernier, pourtant, se pliera aux décisions de son père, faisant preuve d'une surprenante docilité à mettre au compte des frustrations qui, plus tard, susciteront sa révolte.

On peut imaginer les tourments qui agitent les pensées de Renée Pélagie alors qu'elle prépare fébrilement son trousseau et que son futur époux est encore pour elle un inconnu. Il y a plus d'un mois que le comte de Sade discute âprement avec monsieur de Montreuil les clauses du contrat de mariage. Il sait comment amadouer le couple : en flattant sa vanité. Le 1er mai 1763, grâce aux introductions dont il dispose à la Cour, lui-même, les Montreuil et René Pélagie ont l'insigne honneur d'être reçus à Versailles par la famille royale. Louis XV, en présence du Dauphin, de la Dauphine et du duc de Berry, signe de sa main l'acte d'agrément du mariage. Gonflée d'orgueil, la Présidente se confond en d'interminables révérences.

Personne ne s'étonne de ne pas voir là le fiancé. De même, on feint d'ignorer une autre absente d'importance, la mère de Donatien. Mais chacun sait que cette grande dame, lasse des frasques de son mari, s'est retirée dans un couvent. En outre, elle a déjà donné son consentement à l'union de son fils avec mademoiselle de Lauris. Aussi ne peut-elle que dédaigner son prochain mariage avec Renée Pélagie.

Le comte de Sade, lui, est pressé d'en finir. Il expédie plusieurs messages à Donatien, lui ordonnant de rentrer à Paris quel que soit l'état dans lequel il se trouve. Le jeune homme finit par arriver dans la capitale, le cœur gros de sa rupture avec Laure Victoire de Lauris et chargé, en guise de cadeaux pour ses futurs beaux-parents, d'un panier d'artichauts et d'un pâté de thon.

Une semaine plus tard, le 15 mai, le contrat de mariage est signé devant notaire chez les Montreuil en présence du comte de Sade, de la Présidente, de son mari, des futurs époux et de leurs précepteurs respectifs, l'abbé Gaudemar et l'abbé Amblet, qui se toisent l'un l'autre. Le père de Donatien, au mépris de toute dignité, impose ses conditions, non sans braver le courroux du président de Montreuil, écœuré par l'outrecuidance du comte. Ce dernier, misant sur la dot de Renée Pélagie, reporte la totalité de ses propres dettes sur le compte de son fils, abandonnant en échange tous ses biens immobiliers dont il conserve toutefois l'usufruit ; il accable de la sorte Donatien sous le poids des dépenses d'entretien du château de La Coste et des autres domaines familiaux alors qu'ayant quitté l'armée le jeune marquis de Sade ne perçoit même plus sa solde d'officier. Il sera donc contraint de vivre aux crochets de ses beaux-parents. Toute honte bue, toute rancœur ravalée, le contrat est néanmoins signé.

Le surlendemain, mardi 17 mai 1763, le mariage est célébré dans la paroisse des Montreuil, Sainte-Marie-Madeleine-de-la-Ville-l'Évêque. Curieusement, cette union inspirée par la cupidité du père Sade et par la vanité de la Présidente peut néanmoins apparaître comme un mariage d'amour. Naïve jouvencelle au cœur sensible, Renée Pélagie, de dix-huit mois plus jeune que son nouveau conjoint, se sent follement éprise de son charmant marquis aux yeux bleus et au caractère de feu : « Je ne cesserai jamais de t'adorer », promet-elle au soir de leurs noces.

Donatien, lui, s'abstient de tout serment à l'égard de la demoiselle. Ses pensées restent étroitement liées à la belle Laure Victoire de Lauris – « ma Julie », ainsi qu'il la nomme en pensant à l'héroïne de *La Nouvelle Héloïse* de Rousseau. C'est à elle qu'il songeait, quelques semaines avant le mariage, en se confiant à madame de Saint-Germain qu'il considère comme sa seconde mère : « Ma Julie, écrivait-il, est dans l'âge heureux où l'on commence à sentir que le cœur est fait pour aimer. Ses yeux charmants l'annoncent par l'expression de la plus tendre volupté. Une pâleur intéressante est, en elle, l'image du désir, et si l'amour anime quelquefois son teint, on voit que ce n'est pas par son feu subtil. Sa taille leste est élégante, son maintien noble, sa démarche aisée et pleine de grâce. Quant aux charmes de son esprit, ils ne le cèdent en rien à ceux de sa figure. Julie est sans doute la seule femme dont on puisse louer le caractère après l'esprit. N'ayant aucun des défauts que donne la supériorité du génie, elle a autant de naïveté, de douceur et d'aménité que si elle était la femme du monde la moins faite pour avoir des prétentions. En vérité, je crois qu'il est impossible d'avoir autant de motifs d'orgueil et d'en montrer aussi peu. »

Portrait passionnément laudateur qui ne laisse subsister aucun doute sur l'amour que Donatien éprouve pour sa belle maîtresse. À l'inverse, il ne ressent qu'une triste indifférence envers Renée Pélagie. Comment pourrait-elle le séduire alors que selon les propres termes de la Présidente elle ne brille guère que par « sa raison et sa douceur » ? Quant à ses charmes, on comprend qu'il n'y soit guère sensible. Madame de Montreuil ne les évoque elle-même que par défaut, en tentant d'excuser leur absence : « La figure et les grâces sont un don de la nature qu'on n'est pas maître de se procurer. » Bref, sa fille n'est pas de ces femmes dont la beauté subjugue. Donatien n'en est pas surpris. Il s'étonne même qu'elle ne soit pas plus laide, ce qui lui aurait paru plus conforme à la nature de ce mariage qu'il perçoit comme une odieuse imposture.

Aussi décide-t-il, par représailles, de se délecter aux dépens de sa jeune épouse en lui imposant toutes les fantaisies de sa lubricité. Elle s'y soumet avec innocence, ne pouvant imaginer que les pratiques sexuelles essentiellement sodomites que préfère son mari s'écartent effrontément de l'orthodoxie conjugale.

Une joyeuse complicité s'instaure entre les deux jeunes gens. Au cours des semaines suivantes, le couple, qui demeure à l'hôtel des Montreuil, s'étourdit en faisant la fête. Le jeune Sade éblouit Renée Pélagie en lui faisant partager sa passion du théâtre. Elle s'ennuie ferme à l'*Électre* de Crébillon mais s'amuse de bon cœur aux *Fausses Confidences* de Marivaux. Ce dont raffole surtout Donatien, ce sont les vaudevilles du petit théâtre Nicolet et les coulisses où, dès que son épouse a le dos tourné, il lutine les comédiennes.

Jean Baptiste de Sade, lui, ne cesse de fulminer contre les plaisirs dispendieux des jeunes mariés : « Ils dépensent au moins un louis par jour pour le spectacle, écrit-il à son frère l'abbé. Ils y vont le jour, la nuit. Mon fils n'a dans la tête que du vent et le goût du plaisir. » Tout l'été se passe ainsi, en flâneries dans les jardins du Palais-Royal ou au Pré-Saint-Gervais, au spectacle dans les salles du boulevard du Temple, en visites dans les salons où le marquis présente sa conjointe aux quelques relations parisiennes de sa famille. La désinvolture du couple inspire au comte de Sade de sombres prophéties : « Donatien sera bientôt perdu, abîmé de dettes. Sa femme sera fort malheureuse, et il sera chassé de chez son beau-père. Voilà quelle sera sa fin. »

Il est vrai que le comte est alors d'humeur acariâtre. L'atmosphère de la capitale l'inquiète. Il y a bien longtemps que Louis XV n'est plus « le Bien-Aimé » pour ses sujets. Et voilà que la Cour des aides, présidée par le jeune Malesherbes, successeur du baron de Montreuil à la tête de cette institution, vient de réclamer la convocation des états généraux. Tout cela, ronchonne monsieur de Sade, n'augure rien de bon.

Son fils, en revanche, impassible égoïste, est totalement indifférent aux troubles qui secouent le royaume. À l'insu de Renée Pélagie, moins d'un mois après son mariage il loue près de la rue Mouffetard, aux confins du faubourg Saint-Marceau, une petite maison, secrète garçonnière, qu'il inaugure en compagnie de prostituées. Le jeune marquis, à l'évidence, se complaît dans cette duplicité. C'est d'autant plus pervers que son épouse est absolument incapable d'en rien soupçonner. Lui, guilleret, prime-sautier, sincère peut-être, continue de l'entraîner dans les joies du spectacle, dans les plaisirs de la découverte, dans les folies de l'amour. Elle, aimante, heureuse, candide, va bientôt découvrir la réalité de l'enfer. Non pas celui de son catéchisme, mais celui des bonheurs effondrés.

Le 29 octobre, quelques jours après son retour d'Échauffour où le couple a rejoint madame de Montreuil et où Renée Pélagie est restée en compagnie de sa mère, Donatien est arrêté par la police du roi et enfermé au donjon de Vincennes. Les motifs de cette arrestation, tels qu'ils ont été relatés par les historiens, sont loin d'être limpides. Sa femme elle-même n'en reçoit qu'une explication très confuse. Selon les récits le plus communément admis, le garçon serait à l'origine d'un scandale pour avoir séquestré une jeune femme enceinte du nom de Jeanne Testard dans la maison du quartier Mouffe-tard. Là, dans une chambre encombrée de livres et décorée d'images pieuses, de crucifix et de gravures obscènes, il aurait contraint sa victime à accomplir des gestes sacrilèges en souillant les saintes images. Puis il se serait fait fouetter par elle en la menaçant de mort si elle ne lui obéissait pas. La pauvre fille, qu'il aurait ensuite abandonnée et enfermée, aurait fini par s'échapper par la fenêtre et serait allée se plaindre aux archers de police. D'où l'arrestation du marquis de Sade.

Du fond de sa cellule, Donatien n'a qu'une obsession : éviter que son épouse n'apprenne les raisons de son incarcération. Dans une lettre qu'il adresse à Gabriel de Sartine, lieutenant général de la police, il supplie : « J'espère que vous voudrez bien ne pas instruire ma famille du véritable sujet de ma détention. » Mais que veut-il vraiment cacher ? Dans cette requête il évoque un livre qui aurait été découvert lors de la perquisition effectuée rue Mouffetard par les argousins. Il s'agit vraisemblablement d'un de ces ouvrages dont la lecture est alors interdite par l'Église. De ceux qu'affectionne Donatien : libelles anonymes et blasphématoires niant l'existence de Dieu. Certes il y a là de quoi bouleverser la pieuse famille de Montreuil. Mais, aux yeux de la Présidente, que peut donc peser un malheureux livre, si sulfureux soit-il, comparé au scandale provoqué par la débauche de son gendre ? Quoi de plus humiliant que cet esclandre dont la honte éclabousse une noble maison ? Voilà qui mérite un châtiment exemplaire. Tel est le vrai motif de la lettre de cachet qui a expédié Sade à Vincennes.

Il n'est pas anodin que cette procédure de la lettre de cachet ait été mise en œuvre pour son arrestation. Il est courant, à cette époque, que les familles y aient recours pour sanctionner ceux de leurs proches qu'ils jugent dévoyés par les mauvaises fréquentations, le jeu ou le libertinage. Le lieutenant de police Berryer se déclare satisfait de ce dispositif : « J'ai réussi, par ce moyen, à rendre service à d'honnêtes gens de sorte que les désordres de leurs enfants n'aient pas à rejaillir sur eux. »

C'est ainsi qu'ont agi les Montreuil. En faisant jeter Donatien en prison ils espèrent lui infliger une leçon qui le dissuadera de toute velléité de récidive. Deux semaines après son arrestation, le 13 novembre 1763, le roi signe la remise en liberté du marquis de Sade mais le place en résidence surveillée en Normandie dans le discret château de ses beaux-parents.

Après les plaisirs de Paris, le tête-à-tête campagnard à Échauffour. C'en est fini des jeux étourdissants. Renée Pélagie et Donatien vont devoir se découvrir l'un à l'autre dans l'intimité de leurs conversations, beaucoup plus indiscrète que celle des corps. Il est évidemment impossible que la jeune femme ait ignoré l'incarcération de son mari. En revanche, elle n'en connaît pas bien les motifs. La Présidente est parvenue à la soustraire aux échos des sévices subis par Jeanne Testard, ne lui parlant que de la découverte du livre blasphématoire ; sa fille, toujours aussi dévote par imprégnation familiale, s'est signée sans trop comprendre. Donatien a déjà pris l'habitude de se moquer des habitudes religieuses de son épouse, mais rien ne peut entamer la foi naïve de Renée Pélagie.

Dans l'étrange logique des rapports qui se sont instaurés au sein du couple, c'est le mari qui fait figure de victime. Sa femme, depuis qu'il est sorti de prison, a pour lui des attentions de nourrice qui, à l'évidence, agacent un Sade peu enclin aux étreintes doucereuses. Il refrène cependant sa répulsion afin de ménager la sensibilité de la jeune femme, qui vient de lui annoncer qu'elle est enceinte.

Dès qu'ils apprennent cette heureuse nouvelle, les Montreuil et Jeanne Prospère, accompagnés de l'inévitable abbé Gaudemar, se rendent à Échauffour afin d'y assister Renée Pélagie. Durant tout l'hiver, la Présidente est aux petits soins pour sa fille ; elle soigne gentiment ses nausées tout en affermissant son autorité maternelle.

La perspective d'un accouchement effectué par l'une des sages-femmes du village est rapidement écartée par crainte des méthodes barbares dont les matrones sont coutumières. Il est décidé que le bébé naîtra à Paris. Hélas ! fatigue ou mauvaise grippe hivernale, la grossesse s'achève par une fausse couche.

Déjà alourdie par la présence des parents Montreuil, par l'impatience de Donatien toujours assigné à résidence et par la mélancolie de Renée Pélagie, l'atmosphère du petit château d'Échauffour s'appesantit de jour en jour. L'ennui, constant, est peuplé d'arrière-pensées muettes, comme si le jeune marié continuait d'ignorer que c'est à l'instigation de ses beaux-parents qu'il a été emprisonné. Mortel hiver. La maisonnée, Sade surtout, n'est guère d'humeur à partager l'amour de la nature que Rousseau célèbre alors avec tant de succès.

À propos d'amour, Donatien connaît au cours de ces six mois interminables une longue période de fidélité conjugale, ne satisfaisant ses caprices qu'en compagnie de Renée Pélagie, du moins lorsque celle-ci est en état de s'y prêter, inhibée qu'elle est par sa fausse couche. D'ailleurs, surveillé de près par sa belle-mère, le jeune homme n'a vraiment aucune chance de pouvoir lutiner les deux servantes du château. Quant à l'espiègle Jeanne Prospère, pas encore nubile mais déjà aguicheuse, elle n'inspire à son beau-frère qu'une curiosité prospective.

L'arrivée de l'été puis la révocation royale de l'assignation à résidence libèrent Donatien de son hibernation. Il lui est toutefois interdit de rentrer aussitôt à Paris. Aux premiers jours de juin 1764, il part donc pour Dijon où il est fastueusement reçu par le parlement de Bourgogne. Il est alors investi, à vingt-quatre ans, de l'autorité du roi en tant que lieutenant général pour les provinces de Bresse, Bugey, Valromey et Gex ; il succède dans cette charge à son père, qui s'en est démis en sa faveur. Libéralité toute relative de la part du comte qui, par ce geste apparemment généreux, s'est dégagé d'une dette de quarante mille livres qu'il aurait dû rembourser à son fils. Il est vrai que le blason de Donatien de Sade, quelque peu terni par l'incarcération de novembre 1763, se trouve soudain singulièrement redoré, et plus encore sa bourse, qui s'enrichit dès lors des revenus inhérents à ces nouveaux titres.

René Pélagie, qui s'était habituée à la présence permanente de son époux à ses côtés pendant tous ces mois d'exil à Échauffour, va supporter difficilement la séparation et sombrer dans une profonde langueur. Bien que la saison les incite plutôt à demeurer en Normandie, les Montreuil décident donc de rentrer à Paris qui en été, selon la description qu'en donne un témoin de l'époque, est « un endroit horrible et puant. L'extrême chaleur y fait pourrir beaucoup de viande et de poisson, et cela, joint à la foule de gens qui pissent dans les rues, cause une odeur si détestable qu'il n'y a pas moyen d'y tenir ».

Le carrosse familial arrive dans la capitale début juillet, croisant les équipages de l'aristocratie parisienne qui quittent la ville en direction de châteaux ombragés. À peine réinstallée dans ses habitudes citadines, Renée Pélagie, sans nouvelles de Donatien, s'abandonne au supplice de l'attente. Deux semaines s'écoulent ainsi avant que son mari, auréolé des honneurs qui viennent de lui être attribués, ne la rejoigne enfin. Étrange métamorphose que celle qui s'est opérée dans le comportement du marquis. Après des mois de morosité, le voici qui retrouve son caractère flamboyant. Gai, vif, brillant, prolixe, plus séduisant que jamais. Mais peu attentionné à l'égard de sa femme. Celle-ci, indulgente, excuse cette exaltation en l'attribuant à la joie de la liberté retrouvée – une liberté si bien reconquise, en effet, que Donatien s'affranchit de toute contrainte conjugale et reprend promptement ses habitudes libertines. Il sort de jour comme de nuit, fréquente assidûment les théâtres, surtout les coulisses. Il s'affiche sans vergogne avec mademoiselle Colet, qui à vingt ans se produit au Théâtre-Italien. Lui succédera bientôt la très jeune Beaupré, elle aussi comédienne.

Conduite très ordinaire que cette débauche de Sade. Conformiste, même, au regard des mœurs de son époque. Le mariage, sous le règne de Louis XV, tout au moins dans les milieux aristocratiques, implique très rarement l'amour, ou même l'affection. La fidélité entre époux apparaît comme un préjugé vulgaire. Selon Madame Palatine, observant les mœurs de la haute société parisienne au début du

XVIIIᵉ siècle, « aimer sa femme est une chose tout à fait passée de mode ». Tromper, être trompé est une banalité. « Il n'y a pas là de quoi faire s'envoler les amours qui planent sur le lit nuptial ! » ironise le comte de Tilly, libertin notoire.

Telle n'est pas l'opinion de Renée Pélagie : « Je ne vis et ne respire que pour toi. En toi est mon unique bonheur », écrira-t-elle à Donatien au bout de cinq ans de mariage. Un tel aveu, dans le temps où il est formulé, trahit de sa part une sentimentalité de petite bourgeoise que Sade s'est empressé de bafouer sans le moindre scrupule, faisant preuve d'une sordide cruauté à l'encontre de son épouse. Il ne cherche nullement à cacher ses frasques, qui alimentent les potins. Ceux-ci ont d'autant plus d'écho qu'il accomplit ses prouesses sans regarder à la dépense, puisant sans compter dans les revenus que lui valent sa charge de lieutenant général et la rente annuelle provenant de l'héritage de sa grand-mère. Il mène donc la grande vie dans les théâtres, les cabarets, les bordels.

Mais voici que la présidente de Montreuil, qui se tient très attentivement au courant des extravagances de son gendre, apprend qu'il passe tout son temps avec une femme dont il semble être tombé amoureux et que l'on nomme la Beauvoisin. Il s'agit, selon ses indicateurs, de l'ancienne servante d'un chirurgien ; elle a tenté sans succès de devenir danseuse et a réussi plus sûrement comme courtisane grâce à la protection d'un certain comte du Barry.

Quelques semaines plus tard, aux premiers jours de l'été 1765, la Présidente découvre que les amants ont quitté Paris. Il y a alors près d'un mois que Renée

Pélagie ne sort plus guère de sa chambre, enfermée sur elle-même comme si elle voulait se punir de n'être pas aimée d'un mari dont elle n'a plus aucune nouvelle. Elle en ressent une profonde souffrance et consacre de longs moments à la prière et au prêchi-prêcha de l'abbé Gaudemar qui, loin de la réconforter, la désespère plus encore. Les journées se passent en travaux de broderie et en bavardages auprès de sa sœur Jeanne Prospère. Cette dernière est ravie, pour sa part, de recueillir dans son rôle de consolatrice quelques navrantes confidences.

Ignorant tout des événements, l'épouse délaissée s'égare en de vaines supputations, tout à fait incapable, si mélancolique soit-elle, d'imaginer à quel degré d'ignominie est descendu son mari. Seule la Présidente est informée des faits, grâce à l'abbé de Sade, l'oncle de Donatien, qui réside à quelques lieues seulement du château de La Coste. Cette orgueilleuse forteresse, fort délabrée, domine un village et la plaine qui s'étend au pied du Lubéron. C'est dans ce fief familial que le jeune Sade est venu abriter ses amours avec la Beauvoisin dans de bien étranges circonstances : il a décidé de laisser croire sans vergogne à ses domestiques et aux habitants des environs que cette dame est son épouse. Les relations entre Donatien et la courtisane sont d'autant plus ambiguës que celle-ci est enceinte. Qui est le père ? Elle-même l'ignore. Mais toutes les hypothèses sont permises. Peut-être le voyage à La Coste n'a-t-il d'autre motif que de cacher cette grossesse, ce qui expliquerait le versement de dix mille livres, comme prix du service rendu, que la Beauvoisin a effectué devant notaire en faveur de Sade. Mais, dans ce cas, pourquoi ce dernier s'est-il engagé en contre-partie à servir au profit de son amie une rente annuelle de cinq cents livres ?

Tenue au courant de ces étranges tractations et scandalisée par l'impudence de son gendre, madame de Montreuil entre alors dans une fureur sans bornes. Elle décide néanmoins de n'en souffler mot à sa fille, confiant à l'abbé de Sade le soin d'admo-nester son neveu pour sa déplorable conduite. L'oncle prend donc sa plume la plus acérée pour sermonner Donatien, invoquant l'honneur des Sade et déplorant les néfastes effets des vilenies du jeune homme sur la réputation familiale. Mais surtout, l'abbé, dûment chapitré par la Présidente, insiste sur l'immense chagrin dans lequel l'infidélité de son neveu a plongé Renée Pélagie.

Dans la réponse qu'il adresse à son oncle, Dona-tien joue les innocents, niant les faits qui lui sont reprochés : « Je ne vois ni mon honneur ni ma probité compromis en rien. » Faisant preuve d'une habileté diabolique et d'une féroce franchise, il se pose lui-même en victime, lâchant l'aveu qui à ses yeux l'exonère de toute culpabilité : « Oui, je serais sans doute beaucoup plus heureux si j'aimais ma femme, confie-t-il à l'abbé, mais suis-je le maître de ce senti-ment-là ? J'ai fait l'impossible, mon cher oncle, pour me vaincre sur la répugnance qu'elle m'a inspirée dès le premier moment... Qui sait mieux que vous comment j'ai été marié, dans quelles circonstances ? Était-il temps de me dédire quand je suis arrivé à Paris ? Tous les préparatifs étaient faits, le roi avait signé, sans la présence du fiancé, remarque faite par tout Paris ! Eh bien j'ai fait ce qu'à la vérité un honnête homme ne devrait jamais faire, ma bouche a promis ce que mon cœur ne pouvait tenir, et cessant de me croire engagé parce que je ne l'étais que par la forme, j'ai cru que tout mon devoir consistait à cacher mes vrais sentiments. »

Comment Renée Pélagie pourrait-elle percevoir cette « répugnance » qu'elle inspire à son époux ? Loin d'adopter le comportement d'un jeune homme résigné qui ne s'est marié que par soumission aux volontés de son père, Sade s'est laissé aller avec elle au jeu de l'amour, l'étourdissant par la finesse de son esprit, sa gaieté, cette passion du théâtre qu'il a promis de lui faire partager, et par les exploits érotiques auxquels il l'a initiée. Tout cela n'aurait donc été qu'une comédie perverse, destinée, peut-être, à châtier sa femme d'avoir été la cause, bien involontaire, de sa rupture avec la belle Laure Victoire de Lauris.

Ignorant les « vrais sentiments » de Donatien, Renée Pélagie s'est simplement crue aimée. Passant outre aux rebuffades qu'il lui inflige, elle lui voue une irrépressible passion, au mépris de tout amour-propre. Elle est d'autant plus éprise qu'en ce début de 1767 elle se sait de nouveau enceinte.

L'atmosphère familiale n'est cependant guère joyeuse. Le vieux comte de Sade, malade depuis plusieurs semaines, ne retournera pas en Provence comme il en a manifesté le désir. Il meurt le 24 janvier. Totalement absorbée par sa grossesse, sa bru est bouleversée par cette disparition qu'elle perçoit comme un mauvais présage. Redoutant une nouvelle fausse couche, elle passe de longues heures en prière, le chapelet à la main, triste et sombre dans ses robes de deuil. Elle est d'autant plus abattue que son mari retourne bientôt en Provence afin de s'intéresser de plus près à l'exploitation de ses terres de La Coste, Mazan et Saumane. Cette absence fragilise encore plus la jeune femme qui, pourtant, réagit en comprenant qu'il lui faudra désormais assumer seule les épreuves de la vie.

Les mois suivants s'écouleront néanmoins dans une sérénité retrouvée. Elle accouche le 27 août d'un garçon que son père ne connaîtra que trois semaines plus tard, lorsque la diligence le ramènera d'Avignon. Fier de sa paternité, il veut célébrer l'événement avec le faste propre aux grandes familles. L'enfant, prénommé Louis Marie, a pour parrain le prince de Condé et pour marraine la princesse de Conti. Honorée telle une grande dame de la Cour, la marquise de Sade sait se comporter comme si elle accédait enfin à la félicité. Mais très vite Donatien prend une nouvelle maîtresse, mademoiselle Rivière, chanteuse à l'Opéra.

II

Le mari, la femme et l'amante

Renée Pélagie n'est pas de ces dames qui hantent les salons. Trop timide pour s'exposer au caquetage des conversations, elle sort peu et, contrairement aux usages de son siècle, s'occupe elle-même de son enfant. Si le petit Louis Marie a néanmoins été confié à une nourrice, ce n'est pas seulement par conformisme ; c'est aussi que sa mère est soucieuse de ne pas flétrir sa jolie poitrine, non par coquetterie personnelle mais par amour pour Donatien qui dit apprécier les « rondeurs douillettes » de sa femme – jugement d'un connaisseur qui ne manque pas d'éléments de comparaison. D'ailleurs, Renée Pélagie n'a que rarement le plaisir de s'offrir aux caresses de son mari. Le marquis semble être accaparé par quelque affaire qui le retient hors des appartements que le couple continue d'occuper dans l'hôtel des Montreuil, rue Neuve-Luxembourg.

De fait, il y a alors près de cinq ans que le scandale de l'affaire Testard l'a contraint à abandonner la maison du quartier Mouffetard. Aussi est-il terriblement frustré de ne pas disposer d'un lieu où accumuler ses livres et cacher ses fredaines. Une escapade en cabriolet le conduit à Arcueil, un village tranquille situé à moins d'une lieue au sud de Paris. C'est là, rue de Lardenay, qu'il trouve à louer une maison à façade crayeuse dotée d'un rez-de-chaussée, d'un étage et d'un grenier. Il y fait installer quelques meubles et y apporte ses chers volumes, gardant pour lui-même le secret de cette nouvelle cachette qu'il n'a évidemment pas choisie à seule fin d'en faire un lieu de méditations philosophiques.

Comme autrefois la maison de la rue Mouffetard, celle d'Arcueil devient un lieu de débauche. Son locataire confie à la mère Brissault, célèbre maquerelle de la rue Saint-Honoré, le soin de lui fournir des filles qui apprendront vite à connaître le chemin d'Arcueil.

Comme à l'accoutumée, Renée Pélagie ignore tout des nouvelles frasques de son époux. Il ne lui viendrait pas à l'esprit de lui poser la moindre question touchant à l'occupation de son temps, manifestement fort libre puisque le marquis n'est astreint à aucune charge. Connaissant les perversions de celui-ci, elle ne se fait pourtant guère d'illusions quant au motif de ses absences. Peut-être même n'est-elle pas fâchée de ne pas avoir à subir seule la frénésie sexuelle de Donatien. En outre, le libertinage est à ce point admis par les mœurs du temps que la moindre manifestation de jalousie serait considérée comme grossièrement incongrue. En témoigne ce qu'écrit l'historien Lawrence Stone à propos des liens matrimoniaux au XVIIIe siècle : « La femme sera sage de ne pas s'inquiéter des infidélités de son mari, car ses plaintes la rendraient plus ridicule que le tort qui les a provoquées. » À cet argument s'ajoute le fait que le mariage est encore indissoluble et que le divorce n'existe pas. Amoureuse et pieuse, la marquise de Sade vit sa passion comme une vertu. Une vertu soumise à de rudes épreuves.

Le 3 avril 1768, dimanche de Pâques, elle se rend, en compagnie de ses parents, de ses sœurs et de l'abbé Gaudemar, à la messe en la paroisse de Sainte-Marie-Madeleine. Farouche mécréant, son mari ne l'accompagne évidemment pas. Il est parti se promener du côté de la place des Victoires après avoir abandonné son fiacre non loin de là.

C'est alors qu'une pauvresse lui tend la main, réclamant une aumône. Le marquis lui donne une pièce.

« Vous gagneriez beaucoup plus, lui dit-il, si vous veniez faire le ménage dans ma maison. »

Elle accepte et le suit jusqu'à sa voiture dont il fouette le cheval, direction Arcueil.

Une fois rue de Lardenay, Sade introduit la femme dans sa garçonnière et la fait monter à l'étage. Là, sous la menace, passant outre aux protestations de sa victime, il l'oblige à se dévêtir et à s'étendre sur le lit. Les outrages que subit alors la pauvre fille ne sont pas ceux auxquels elle pouvait s'attendre. Quantité de récits, souvent contradictoires, ont été publiés sur cette triste affaire. Il faut admettre, d'après les faits les plus communément rapportés, que les actes de violence dont Sade s'est alors rendu coupable sont déconcertants, très différents de ceux qu'il avait fait subir à Jeanne Testard. Après avoir fouetté sa prisonnière, il lui incise la peau à plusieurs endroits avec un canif. Puis il fait couler de la cire chaude sur les plaies sanguinolentes et abandonne la pauvre femme qu'il enferme à double tour.

Selon certains commentateurs, Sade, avant de quitter sa victime, lui a donné une fiole en lui recommandant d'en verser le contenu sur ses blessures pour accélérer la cicatrisation.

Le marquis revient le lendemain mais la fille est parvenue à s'échapper et à se réfugier auprès des archers de la maréchaussée qui ont recueilli sa plainte, établie au nom de la dame « Kailair », en réalité Keller, veuve d'un pâtissier alsacien.

Alertés par leurs relations policières, les Montreuil sont très rapidement informés du nouvel exploit de leur gendre. Ils décident de réagir aussitôt afin d'éviter un nouveau scandale. La Présidente convoque l'abbé Amblet, qui continue de veiller en ami plus qu'en prêtre sur son infernal protégé. Elle lui donne pour mission, en le faisant accompagner par un proche des Montreuil, le procureur Claude Antoine Sohier, de rencontrer la Keller et de la presser de retirer sa plainte. La drôlesse accepte dès le lendemain en échange d'une forte somme : deux mille quatre cents livres. Vaine manœuvre. La procédure judiciaire est déjà engagée, implacable.

C'est le parlement de Paris qui prend l'affaire en main, autrement dit la cour souveraine de justice, indépendante de l'autorité royale qui s'est naguère montrée très clémente envers Donatien. Le 19 avril, ce dernier est arrêté et conduit sans ménagement à la Conciergerie. Le surlendemain, les juges procèdent à l'audition de la Keller et des témoins, provoquant un retentissant tollé dont les gazettes se font férocement l'écho. Les chroniqueurs les plus acerbes se montrent pour le moins incrédules quant aux vertus thérapeutiques de la cire que Sade, improbable apothicaire, a répandue sur des blessures qu'il a lui-même infligées. On voit plutôt là, commentée avec force détails, l'œuvre d'un tortionnaire. Voici le marquis bientôt nanti, jusque dans les milieux les plus huppés, d'une réputation de Barbe-Bleue pervers et sanguinaire.

Il n'est que de lire les lettres de la marquise du Deffand à son ami anglais Horace Walpole. L'informant de l'esclandre provoqué par l'affaire, elle a des propos qui révèlent un surprenant degré d'exagération, surtout quand elle évoque « le corps ensanglanté et déchiqueté » de la Keller « se jetant par la fenêtre » pour échapper à son bourreau. Le pathos que déploie ainsi cette dame de haute noblesse et de grande culture permet d'imaginer la fureur des commentaires que le scandale déclenche dans les milieux populaires. C'est une explosion de colère et de haine stimulée par l'appartenance aristocratique de l'accusé autant que par la nature du délit. Les juges n'y sont pas insensibles, qui condamnent Sade à une peine de prison assortie d'une forte amende.

C'est d'abord à Saumur, puis à Pierre-Encize, près de Lyon, qu'il est enfermé. Renée Pélagie réagit avec sang-froid à ces nouvelles épreuves. Cinq ans auparavant, lorsque Donatien avait été emprisonné pour avoir séquestré et brutalisé Jeanne Testard, c'est la présidente de Montreuil qui avait tout régenté. Cette fois c'est la marquise de Sade, bientôt âgée de vingt-sept ans, qui prend les initiatives, faisant preuve

41

d'une surprenante maturité. Dès le 9 avril, elle a demandé à l'abbé Amblet de se rendre à Arcueil pour débarrasser les lieux de tous les livres et objets compromettants tels que fouets, couteaux, cordes. Par ailleurs, elle a résilié la location de la maison maudite. Puis, tremblant d'inquiétude pour son époux, elle a décidé de vendre tous ses bijoux afin de rassembler les fonds nécessaires à son installation à Lyon.

La Présidente ayant accumulé les obstacles les plus invraisemblables pour s'opposer au départ de sa fille, celle-ci doit attendre le mois de juillet avant de pouvoir quitter Paris. Il est notamment impensable qu'elle emmène avec elle son fils, qui n'a pas encore un an. Celui-ci est donc confié à sa nourrice sous la garde de sa grand-mère, plutôt réticente.

Enfin parvenue à Lyon après cinq jours d'un voyage épuisant en chaise de poste, Renée Pélagie entreprend les démarches qui lui permettront d'obtenir un droit de visite au prisonnier de Pierre-Encize. « La nature, écrira Choderlos de Laclos, n'a accordé aux hommes que la constance, tandis qu'elle donnait aux femmes l'obstination. » De l'obstination, Renée Pélagie en manifeste sans se ménager jusqu'à ce que lui soit enfin remis un sauf-conduit dans les derniers jours de juillet.

Elle peut alors se présenter à la herse de l'impressionnante forteresse de Pierre-Encize, une redoutable citadelle perchée sur un éperon rocheux aux parois abruptes et dominant le cours de la Saône. Un garde conduit madame de Sade à la cellule dans laquelle est retenu Donatien. Aucun témoignage ne nous est parvenu sur les retrouvailles des époux. On peut seulement imaginer que l'émotion de la jeune femme est à la mesure de ses prouesses et des sacrifices auxquels elle a consenti pour parvenir jusqu'en ce lieu. Quant au marquis, si cynique soit-il, on n'imagine pas qu'il ait pu se montrer insensible au dévouement passionné de son épouse.

Plusieurs indices permettent de croire à la chaleur de leurs effusions. Ayant obtenu l'autorisation de rendre assez fréquemment visite à son mari, Renée Pélagie s'installe dans une auberge des bords de Saône, au pied de la forteresse, où elle séjourne plusieurs semaines. Les conditions d'incarcération ne doivent pas être très draconiennes car dans l'ombre du cachot les époux peuvent s'abandonner aux plus fougueuses étreintes, si bien qu'à la fin de septembre 1768, lorsque la marquise, finissant par obtempérer aux injonctions de sa mère, quitte Pierre-Encize pour renter à Paris, elle est enceinte.

Moins de deux mois plus tard, le parlement de Paris enregistre une lettre royale abolissant la condamnation de Donatien. Le 16 novembre 1768, ce dernier est libéré mais interdit de séjour à Paris et assigné à résidence en son château de La Coste. Renée Pélagie s'apprête à l'accompagner, comme le tribunal lui en donne le droit, mais sa mère s'oppose obstinément à ce projet en invoquant comme prétexte l'état lamentable dans lequel se trouvent les finances du couple. Sade croule en effet sous les dettes. Quant à sa femme, elle a dû, on s'en souvient, vendre ses bijoux pour couvrir les frais de son séjour à Lyon. Elle n'a donc plus les moyens de braver les interdits de la Présidente. La voilà donc de nouveau contrainte de rester éloignée de son mari.

À l'évidence, Donatien, lui, s'accommode beaucoup plus facilement de cette séparation. Décidé à ne pas s'alanguir de solitude dans son nid d'aigle, il éprouve bientôt le besoin de faire la fête en son château. Au mois de janvier 1769, il monte une pièce intitulée *Beverley ou le Joueur anglais* ; elle est interprétée par une troupe de comédiens qu'il a fait venir spécialement de Marseille. « Nos hommes sont aimables et nos femmes jolies », écrit-il à son oncle l'abbé pour l'inciter à accepter son invitation. Assisteront en outre à cette soirée suivie d'un bal quelques représentants de l'aristocratie locale, notamment le marquis de Rochechouart, une des plus hautes notabilités provençales. « Tâchez d'engager quelques femmes à venir pour ce jour. Elles trouveront un souper et un bal, des lits, même, si elles veulent », insiste Donatien dans sa lettre à l'abbé. Bref, le voilà résolu à recréer autour de lui un climat favorable aux tentations de ses vieux démons.

La fête a donc lieu, peut-être pas aussi fastueuse que l'aurait voulue le châtelain mais néanmoins réjouissante, propice aux plaisirs et diablement ruineuse. Aussitôt informée par l'oncle de Sade, ce satané mouchard, la Présidente éprouve une nouvelle flambée de fureur contre son gendre, dont elle exècre l'immoralité dispendieuse autant qu'arrogante. Il se peut qu'elle n'ait pas eu la cruauté de raconter à sa fille les joyeux divertissements auxquels s'est livré Donatien à La Coste. Mais elle jure de tout faire désormais pour briser le couple. Cette détermination pèsera lourdement sur le cours des événements futurs. Madame de Montreuil est d'autant plus excédée qu'elle assiste jour après jour à la dérive de son aînée. Enceinte de quatre mois, celle-ci se morfond dans la vaine attente de nouvelles de La Coste. L'épistolier prolixe, l'enfiévré de la plume n'expédie que de rares lettres qui n'apaisent guère la morosité de sa femme.

L'hiver et le printemps passent ainsi. Ignorant les fielleuses résolutions prises par sa mère contre Sade, Renée Pélagie lui fait part de son désir de voir son époux assister à la naissance de leur deuxième enfant. La Présidente a beau objecter que le personnage est interdit de séjour à Paris : la marquise la prie instamment d'obtenir une dérogation. D'abord réticente, madame de Montreuil, considérant que l'absence n'est pas un remède à l'amour et qu'il lui sera toujours difficile de dresser sa fille contre un mari que l'éloignement préserve, finit par céder. Elle prend donc la plume pour écrire au ministre, le comte de Saint-Florentin, afin qu'il autorise Sade à venir à Paris. Pour quel motif exceptionnel ? Pour soigner ses hémorroïdes ! N'importe quel chirurgien d'Avignon ou d'Aix pourrait traiter le marquis... Toujours est-il qu'il obtient l'autorisation de séjourner dans les environs de la capitale, mais pas à Paris même. Or, le 30 avril 1769, le voici qui s'installe chez ses beaux-parents.

Surveillé par la police, il s'est en quelque sorte constitué prisonnier de la vie familiale. Se contraignant à faire bonne figure malgré l'ennui qui l'accable, il partage ses journées entre la lecture et de longs tête-à-tête avec Renée Pélagie, dont la conversation est un tissu de lieux communs. Pour toute distraction il fait venir un médecin qui l'opère des hémorroïdes et lui prescrit un traitement à la pommade de marron d'Inde. Deux mois s'écoulent dans cette atmosphère doucereuse.

Dans la nuit du 26 juin 1769, Renée Pélagie ressent les premières douleurs de l'enfantement. Le lendemain, elle accouche dans de terribles souffrances de son deuxième fils. En l'honneur de son père, il est prénommé Donatien, Claude, Armand.

La marquise se remettra très difficilement de son accouchement. Épuisée par une grave hémorragie, souffrant de douleurs abdominales, elle ne dort plus, bien qu'écrasée de fatigue. Elle est entourée jour et nuit par les femmes de la maisonnée – ses sœurs, les servantes –, toutes soumises aux ordres de la Présidente. Cent fois Sade est tenté de fuir cette ambiance affairée qui, ajoutée aux chaleurs de l'été, rend l'air irrespirable. Paris est là, à sa portée, riche de tous ces gens, de tous ces lieux qui exercent sur lui une ensorcelante attraction à laquelle il lui faut résister, sachant qu'au premier pas tenté hors de l'hôtel des Montreuil il risque d'être arrêté et jeté au cachot.

Mais lorsque l'été s'achève, il éprouve plus que jamais l'irrépressible envie de changer d'air. Il a eu tout le temps d'élaborer un plan de fuite dont il ne confie le secret qu'à sa femme, lui promettant un prompt retour. Son idée est d'aller visiter la Hollande. Ce projet plonge Renée Pélagie dans le plus profond désarroi. Elle craint que son mari ne retombe dans ses anciens errements et ne se lance dans quelque désastreuse aventure. Bien que non fondé, le doute envahit alors son esprit comme un obscur besoin d'inquiétude entretenu par l'immense fatigue qui l'anéantit depuis son accouchement. Elle qui a su faire face, et avec quelle hardiesse, aux calamités provoquées par les écarts de conduite de son conjoint, la voilà qui s'affole, accablée par le comportement incohérent de Sade. L'attitude de celui-ci, songe-t-elle, la vise personnellement, comme s'il avait décidé de la fuir, de l'abandonner. Voilà qui la blesse plus cruellement que tous les scandales, toutes les tromperies, toutes les humiliations qu'il lui a déjà fait subir.

Le 19 septembre, les argousins qui surveillent l'hôtel des Montreuil assistent au départ du gendre censé repartir pour La Coste. De fait, ils le voient monter dans la malle-poste qui prend la route de Lyon. Mais à peine sorti de Paris, le marquis en descend et attend une autre voiture en direction du nord. Nouvelle destination : la Hollande. Une soudaine lubie de sa part ? On peut en douter. Cloîtré chez ses beaux-parents, il a eu tout le temps de laisser mûrir son projet. S'il a choisi de visiter le plat pays, c'est pour satisfaire l'attraction qu'exerce sur lui cette contrée apparemment si différente de la France. Pensez donc, une république réputée pour sa richesse et son ouverture d'esprit. Un État qui prône la liberté de penser, notamment en matière religieuse, allant jusqu'à tolérer l'athéisme. Comment la curiosité de Sade, si avide de liberté, formé par l'esprit des Lumières, ardent rationaliste, ne serait-elle pas excitée par l'originalité d'une telle nation ?

Pendant trois semaines, il va visiter Breda, Rotterdam, Utrecht, Amsterdam. Il en rapportera un journal de voyage rédigé sous forme épistolaire, plus touristique que littéraire. Ce qui, bizarrement, le surprend le plus, lui, l'incorrigible dépensier, l'endetté permanent, c'est l'obsession des Hollandais à vouloir gagner de l'argent. Rien d'autre ne semble les intéresser, pas même les femmes, qu'il trouve d'ailleurs plutôt laides. Bref, il revient de ce périple un peu déçu. Il en ramène pourtant un goût aussi surprenant qu'éphémère pour les mondanités. Renée Pélagie sera singulièrement étonnée de voir son mari partager avec elle, pendant tout l'hiver, une existence paisible ouverte aux visites amicales et aux distractions.

L'interdiction de séjour qui le frappe semble être définitivement tombée aux oubliettes. Désormais, il peut sortir librement. Il mène une vie sociale et conjugale tout à fait exemplaire, sans le moindre écart de conduite. Son épouse, malgré une santé encore fragile, connaît alors une des périodes les plus heureuses de sa vie, un bonheur dont elle ne cesse de remercier le ciel.

Mais voici près de six mois que Sade a quitté La Coste. Là-bas, les affaires ne s'arrangent guère. Grâce aux lettres de son oncle l'abbé, il est informé des dommages subis par le château, des bois saccagés par les paysans, d'un procès qui l'oppose à un voisin, le duc de Gadagne. Il décide alors de repartir pour la Provence. Aussitôt, Renée Pélagie déclare vouloir l'accompagner. La Présidente fait énergiquement obstacle à ce projet en invoquant l'état de fatigue de son aînée et la garde des deux enfants. Cette fois encore, la fille s'incline devant les volontés de la mère. Donatien partira seul pour ses terres. Étrange soumission de la part d'une femme qui, par ailleurs, peut faire preuve d'un caractère d'airain pour accomplir les desseins les plus audacieux. Il ne s'agit pas là d'une faiblesse de sa part mais du résultat d'une éducation impliquant une obéissance totale et quasi religieuse à ses parents. En outre, elle n'est pas en état de lutter contre l'autorité maternelle. Elle est encore épuisée par son douloureux accouchement. Elle souffre d'insomnie, hantée qu'elle est par l'inquiétude de savoir Donatien seul à La Coste et risquant de tomber sous l'emprise d'une nouvelle folie.

Bien que purement intuitive, la perception qu'elle a du changement d'attitude de son mari n'est nullement injustifiée. Ayant passé le cap de la trentaine, marié depuis six ans, condamné deux fois pour ce qu'il appelle benoîtement des « histoires de filles », instruit en « cachotteries » − entendez « habitué des cachots » −, prodigue, ruiné, le marquis de Sade agit comme s'il ambitionnait un retour aux sources, une régénération, une cure de jouvence. Le voici, en effet, qui décide de renouer avec les engagements de sa jeunesse : il veut réintégrer le métier des armes. Soudain pressé d'annoncer cette nouvelle à sa femme, il arrive à Paris à la mi-juillet 1770. Émotion, reproches, sanglots, embrassades. Et réconciliation sur l'oreiller. Fin juillet, Sade s'arrache aux bras de Renée Pélagie pour rejoindre son régiment. L'épouse, reconquise et de nouveau éplorée, constatera quelques semaines plus tard qu'elle est enceinte de son troisième enfant.

L'heureux géniteur a alors rejoint son poste de capitaine commandant au régiment de Bourgogne Cavalerie, à Fontenay-le-Comte. Hélas ! sa réputation l'y a précédé. Aussi est-il très fraîchement accueilli par ses anciens compagnons. L'humour militaire s'accommode assez bien des paillardises et autres caleçonnades, mais il en va tout autrement des actes scandaleux dont le marquis s'est rendu coupable avec la Keller. La rumeur s'est emparée de l'affaire, décrivant, avec un luxe inouï de détails sordides, les turpitudes auxquelles il s'est livré. Les fiers guerriers qui lui font face sont tout prêts à jeter sur lui l'anathème. Pourtant, Donatien se souvient d'en avoir vu certains, pendant la guerre de Sept Ans, qui ne répugnaient pas à violer et à torturer. Mais il préfère se taire, connaissant le discours qui lui sera opposé s'il choisit ce mode de défense : il s'agissait là d'incidents rendus inévitables par la brutalité des combats et sur lesquels on doit fermer les yeux. Ces violences ont même pu avoir été rendues nécessaires par les impératifs de la guerre. Elles sont par conséquent absoutes.

Absous, Sade, lui, ne l'est pas. Sa réputation lui vaut la réprobation de ses supérieurs : le voici mis aux arrêts de rigueur pour quelque temps. Son ardeur militaire s'en trouve quelque peu rafraîchie. Toutefois, après cette remise au pas, il accomplit sans sourciller les tâches relevant de son grade. Menant ses hommes à l'exercice, il constate néanmoins qu'il n'a plus l'agilité de ses vingt ans. En outre, malgré l'opération qu'il a subie lors d'un précédent séjour à Paris, il souffre terriblement des hémorroïdes dès qu'il se soumet à la vocation première du cavalier : monter à cheval. Ses compagnons ne tarderont pas à se gausser de sa propension à se tenir trop souvent debout sur les étriers.

Finalement, sa reconversion militaire n'est pas un franc succès. C'est à cette même conclusion qu'aboutissent les rapports de sa hiérarchie. Ses chefs conseillent fermement un changement d'affectation. Or

Louis XV, à la suite de l'intercession du marquis d'Argenson, ancien secrétaire d'État à la Guerre, a la bonté, ou la malice, de recourir plutôt à une promotion. Donatien est élevé au rang de maître de camp attaché à la cavalerie. Il en est éminemment flatté mais déchante bien vite en découvrant que son nouveau grade est purement honorifique et ne donne lieu, suprême déconvenue, à aucun supplément de solde.

Définitivement déçu, il fait ses adieux aux armes en mars 1771. Sa décision n'est pas dépourvue d'arrière-pensées pécuniaires. En remboursement de sa charge de capitaine de compagnie, il se fait promettre le paiement d'une somme de dix mille livres – qu'il aura bien du mal à encaisser. Puis il se met en route pour Paris. Son courrier révèle qu'il y est présent le 19 mars aux côtés de Renée Pélagie.

La marquise voit dans le retour tant espéré de son mari l'aboutissement de ses prières. Il y a bientôt neuf mois qu'elle traîne sa solitude angoissée entre Échauffour et Paris, enchaînant les neuvaines pour obtenir du ciel qu'il épargne à Donatien les dangers de la vie militaire et que son époux soit présent pour la naissance de leur troisième enfant. La voici doublement exaucée. Moins d'un mois plus tard, le 17 avril, elle met au monde une petite fille qui reçoit les prénoms de Madeleine et Laure en l'honneur d'une redoutable grand-mère, la Présidente, et de la belle et quasi légendaire Laure de Noves, inspiratrice de Pétrarque et ancêtre des Sade.

Comme lors de ses précédentes grossesses, Renée Pélagie se relève très lentement de ses couches. À son accablement physique s'ajoute le chagrin que lui inspire Sade, aussi peu attentif à son égard qu'il l'est envers la nouveau-née. Sans doute a-t-il réagi avec plus de bonheur à la naissance de ses deux garçons. Mais la véritable raison de son indifférence est à chercher dans le contenu de sa bourse plutôt que dans celui du berceau. Sa femme elle-même n'ignore pas qu'il est écrasé de dettes dont il est bien incapable d'assurer le remboursement, sans parler des intérêts. Aussi passe-t-il ses journées et ses nuits à échafauder d'improbables combinaisons qu'il confie par courrier à maître Fage, son notaire établi à Apt. En mai 1771, il lui demande instamment d'obtenir un nouvel emprunt de vingt-six mille livres destiné à régler plusieurs créanciers. « Si vous pouviez arranger cela, ce serait un grand coup », écrit-il à Fage.

Les semaines et les mois s'écoulent. Le fameux coup semble avoir fait long feu. En août, l'argent tant attendu n'est toujours pas arrivé. C'est un appel pathétique que lance alors Sade à son notaire : « Au nom de ce que vous avez de plus cher, dépêchez-vous. La situation est bien critique, elle est affreuse. » Elle est même désespérée. À l'initiative de plusieurs créanciers, la justice a été saisie. Le 1er septembre 1771, les archers de police se présentent à l'aube au domicile de la famille de Montreuil où le couple Sade est toujours logé. Donatien est arrêté au saut du lit et conduit à Fort-l'Évêque, célèbre prison parisienne, où il est incarcéré pour dettes.

Renée Pélagie, comme à l'accoutumée, réagit avec toute l'énergie dont elle est capable dès que le marquis traverse une nouvelle épreuve. Chaque fois qu'il est affaibli, elle révèle d'étonnantes ressources de courage et de volonté. Ne possédant plus elle-même le moindre sou, elle tente de convaincre sa mère d'avancer les fonds nécessaires à la libération du prisonnier. Candide requête ! La Présidente est dans les plus hostiles dispositions, et d'autant plus malveillante à l'encontre de son gendre que sa propre maison vient d'être déshonorée par l'intrusion des policiers qui l'ont arrêté. Mais surtout, elle est profondément habitée par la haine opiniâtre qu'elle éprouve envers Donatien, haine qui s'est avivée lorsqu'elle a été informée, trois ans plus tôt, de la fête que ce traître avait organisée à La Coste à l'insu de Renée. Elle n'a cessé, depuis lors, d'attendre le moment propice à l'exécution de son dessein secret visant à libérer sa fille de son infâme mari.

Rien d'étonnant, donc, à ce que l'irascible belle-mère laisse s'épancher sa hargne lorsque Renée Pélagie lui demande l'avance des trois mille livres qui permettraient de tirer Sade de prison. Madame de Montreuil, plus acerbe qu'aucun juge, accuse son gendre d'encore plus de turpitudes qu'il n'en est capable. « Comment pouvez-vous être à ce point aveuglée par ce *monstre* ? » C'est ainsi qu'elle a pris l'habitude de le qualifier.

Mais saisie par le comportement de sa fille, qui s'est soudain figée dans une sorte d'absence pros-trée, la Présidente comprend qu'aucun argument ne parviendra à la convaincre d'abandonner son époux à son triste sort tant que ce dernier n'aura pas été libéré. Excédée et inquiète, elle appelle ses gens et fait transporter Renée Pélagie dans sa chambre. Le lendemain, 9 septembre, encore plus exaspérée, elle lui fait remettre par l'abbé Gaudemar, en prière au chevet de la jeune femme, les trois mille livres qui vont permettre à celle-ci de sortir de sa léthargie et à Donatien de quitter Fort-l'Évêque après huit jours d'enfermement.

La liberté recouvrée n'ajoute pas le moindre sol dans l'escarcelle du marquis, littéralement mis aux abois par la fureur des créanciers. Il relance maître Fage, lui demandant un envoi de douze mille livres sur un ton qui trahit une réelle anxiété : « Si le 25 septembre je n'ai pas cet argent, il ne me reste plus d'autre parti que de me brûler la cervelle. » N'osant plus sortir, il se terre dans sa chambre, la tête enfouie dans ses livres et ses comptes, accablant sa femme et ses enfants de ses sautes d'humeur, redoutant une nouvelle arrestation, pestant contre ce maudit notaire qui, insensible au désespoir de son client, est resté sourd aux allusions suicidaires. Le pistolet du marquis n'en demeurera pas moins dans son coffret. Finalement, c'est encore dans la fuite qu'il cherche le salut.

Au début de novembre, il décide de repartir pour La Coste. Mais cette fois, passant outre aux réticences de sa mère, madame de Sade est bien résolue à être du voyage, accompagnée de ses trois enfants et de quelques domestiques. C'est alors une véritable expédition qui est montée en vue d'un séjour de longue durée. Dans l'euphorie des préparatifs, il est même décidé qu'Anne Prospère de Launay, la jeune sœur de Renée Pélagie, rejoindra la petite famille en Provence un mois plus tard.

Quelques jours après la Toussaint, et dans l'excitation qui agite les départs en voyage, Donatien dirige l'installation de sa troupe dans le lourd coche à quatre roues : la mère et son bébé, Madeleine Laure, alors âgée de six mois, les deux garçons, Louis Marie et Claude Armand, ainsi sans doute qu'une gouvernante. Lui-même ne sautera dans la voiture qu'au dernier moment, lorsque tous les bagages auront été chargés. Bruits de roues, claquements de fouet des postillons, grelots des chevaux : les voilà partis pour l'exténuant voyage d'une douzaine de jours qui doit les conduire jusqu'en Avignon puis à La Coste.

Une fois à bon port, Renée Pélagie est surprise, après avoir été un peu effrayée par l'austérité guerrière des murailles, de découvrir un tel confort intérieur. Au premier étage, ouvrant sur la vaste galerie aux murs tapissés de centaines de livres, le salon de compagnie, chaud et somptueusement meublé, précède la salle à manger garnie de tapis, de poêles, d'ottomanes, de larges fauteuils. Un grand cabinet d'assemblée, qui fait aussi office de bibliothèque, communique avec un coquet boudoir. Tout au bout de la galerie, une fort belle chapelle voisine avec les chambres. Le deuxième étage comprend une chambre d'hiver chauffée par une cheminée et cinq pièces pour les domestiques.

Lorsque le lendemain, du haut des mâchicoulis de la tour est, la nouvelle maîtresse des lieux découvre les toits de tuile des maisons du village serrées au pied du château et dominant la plaine qui s'étale jusqu'aux flancs du Lubéron, elle ressent une sorte d'orgueil jusqu'alors inconnu d'elle et qu'elle n'a pas la décence de réprimer. Sans doute désireuse de partager son émerveillement, elle écrit sans plus tarder à sa sœur Anne Prospère pour lui rappeler sa promesse de venir en visite à La Coste.

Cette invitation est d'autant plus pressante que la jeune fille, bientôt âgée de vingt ans, semble souffrir de troubles pulmonaires. Or elle réside pour l'heure en Beaujolais dans un couvent dont l'atmosphère confinée n'est certes guère propice à la guérison. Elle y est chanoinesse, ce qui ne fait pas d'elle une religieuse au sens que l'on donne de nos jours à ce mot. Sous l'Ancien Régime, les dames chanoinesses ne prononcent pas de vœux ; elles peuvent retourner dans le monde et même se marier. Il s'agit en réalité d'une communauté de jeunes aristocrates triées sur le volet. À l'origine, pour accéder à ce titre, il fallait être issue d'une noblesse remontant à neuf générations tant du côté maternel que paternel. Cela n'est évidemment pas le cas de la jeune demoiselle de Launay. Sans doute la règle a-t-elle été assouplie, ou bien cette charge a-t-elle été achetée, comme le nom de la famille.

C'est vers la fin de novembre que la chanoinesse parvient à La Coste, pour la plus grande joie de sa sœur et pour la plus vive émotion de Donatien, sans oublier le trouble ressenti à sa vue par l'abbé de Sade. En bref, l'arrivée d'Anne Prospère, telle une sublime apparition, bouleverse tout ce petit monde. À l'évidence, la jeune fille est fort belle, blonde aux yeux bleus, d'une séduisante futilité et un brin aguicheuse ; elle arbore une lourde croix d'argent, insigne de son ordre, qui a pour effet d'attirer les regards sur son joli buste plutôt que d'inspirer la piété.

L'abbé, tout émoustillé par cet ange qui lui est tombé du ciel, entreprend aussitôt de s'attirer ses bonnes grâces. En cadeau de bienvenue il lui offre un poney. Elle l'en remercie avec tant de chaleur et de malice que le vieil oncle frémit d'une passion dont il ne se croyait plus capable. Voilà donc qu'à soixante-six ans il sent ses vieux réflexes de libertin agiter sa carcasse. Lui reviennent alors les lointains souvenirs d'une vie agitée : il a été l'amant de diverses dames, en particulier de la marquise du Châtelet avant qu'elle ne devienne la compagne de Voltaire. Il s'est consolé en fréquentant assidûment les prostituées de la mère Piron. Surpris par la police en pleins ébats dans le bordel de cette illustre maquerelle, il a échappé de justesse à un scandale public. Prudemment, il s'est retiré dans son château de Saumane où il s'est absorbé dans la rédaction au long cours de *Mémoires pour la vie de Pétrarque* qu'il a dédiés à la glorieuse ancêtre des Sade, Laure de Noves. Quel beau sujet de conversation pour cet homme d'Église tout empressé auprès d'Anne Prospère. « Ah ! mon cher oncle, comme je vous aime ! lui déclare-t-elle. – Je voudrais passer ma vie avec vous », lui répond-il.

Toutes ces minauderies amusent fort Renée Pélagie. Libérée du harcèlement de sa mère, jouissant de la présence à ses côtés de Donatien, de leurs enfants, de sa sœur, découvrant les charmes de la Provence et son propre rôle de châtelaine, elle connaît enfin la félicité. La vie à La Coste lui semble être une sorte de fête permanente à laquelle elle participe avec une joie d'enfant. Le château, tel que l'a aménagé Donatien, fonctionne comme un théâtre. Le marquis y a fait peindre des décors destinés au salon de compagnie, transformé en salle de spectacle. Stimulé par sa passion du drame et de la comédie, il met en scène des pièces qu'il interprète lui-même, confiant les autres rôles à Renée, à sa belle-sœur et à des comédiens professionnels venus de Marseille. Pour quel public ? Des amis du voisinage, des bourgeois de La Coste et des environs, les serviteurs et servantes de la forteresse.

Lorsque le rideau tombe, c'est une autre comédie qui se joue dans les coulisses. Sur un thème éternel – le mari, la femme et l'amante –, avec la même distribution des premiers rôles – Donatien, Renée Pélagie, Anne Prospère. Sans doute était-il fatal que Sade soit conquis par la jeune chanoinesse. Elle porte en elle tous les ingrédients propres à l'émoustiller : belle, jeune, vierge, religieuse à sa façon, coquine. Autant d'incitations à la séduction, au dépucelage, au sacrilège. Pourquoi le marquis devrait-il résister à la tentation ? Parce qu'il s'agit de la sœur de sa femme ? Fi donc ! Voilà au contraire qui ajoute du piment à ses fantasmes. Anne Prospère repousse-t-elle les avances du marquis ? Nullement. Fascinée par la très forte personnalité et par la réputation sulfureuse de Donatien, étourdie par l'extravagante atmosphère du château de La Coste, curieuse de découvrir des sensations dont elle ressent le désir par tempérament, elle prend autant qu'elle donne. Amant, amante : leur avenir, on le verra, ne laissera subsister aucun doute sur la nature de leur relation.

Quant à Renée Pélagie, doublement trahie, doublement meurtrie, elle semble demeurer impassible sous l'offense. Mansuétude de sa part ? On ne peut le croire. Insensibilité, plutôt. Trop souvent infligée, la blessure indiffère. Ce qu'a pu éprouver la marquise de Sade après cette nouvelle épreuve, Choderlos de Laclos l'exprimera très bien par la bouche de madame de Merteuil : « La douleur que cause l'amour, on ne l'éprouve qu'une fois. On peut encore la feindre après, mais on ne la sent plus. » Quoi qu'il en soit, Renée Pélagie ne laissera rien paraître de ses états d'âme, prenant part avec une égale placidité aux représentations théâtrales organisées par son époux, non plus seulement à La Coste mais aussi à Mazan, où il a engagé des frais importants afin d'aménager une salle de spectacle et un appartement. Il projette bientôt de s'y installer pour l'été avec sa famille et toute sa troupe.

Disposant de la sorte d'un excellent prétexte à ses escapades, il s'offre même le luxe d'acheter un cheval afin de faciliter ses déplacements, d'où de fréquents va-et-vient entre les deux domaines en compagnie d'Anne Prospère, tandis que Renée Pélagie s'occupe des enfants. Tout cela s'accomplit au vu et au su de tout le voisinage. En témoigne ce court billet que le marquis adresse en février 1772 à François Ripert, son fermier de Mazan : « Nous arriverons pour souper, ma belle-sœur et moi, une femme de chambre et un laquais. J'aurai un ami avec moi, mais nous lui chercherons un lit dans la ville. »

Il est aisé d'imaginer les commérages auxquels donne lieu cette idylle. L'abbé de Sade n'est pas le dernier à s'en émouvoir, d'autant que l'ébauche avortée de son flirt avec Anne Prospère ajoute à sa jalousie une bonne dose d'amertume, sans parler de la réprobation que lui inspirent les folles dépenses engagées par son neveu pour satisfaire son goût du théâtre. L'oncle mouchard va donc s'empresser de rapporter à madame de Montreuil tous ces potins. Il espère ainsi provoquer de la part de la Présidente une intervention qui mettra fin à l'embrouillamini.

Mais des événements d'une exceptionnelle gravité vont bientôt précipiter Sade et les siens dans une débâcle qui engloutira tous les beaux projets estivaux de Donatien, à la fois auteur et acteur d'une tragi-comédie qu'il n'a pourtant pas inscrite à son répertoire.

III

Les métamorphoses de la marquise

En cette matinée du 6 juillet 1772, Renée Pélagie, dans les communs du château de La Coste, distribue le travail aux domestiques tandis que Donatien et ses comédiens, installés dans le cabinet d'assemblée, procèdent à la lecture d'une pièce de Philippe Destouches, *Le Glorieux*. C'est alors qu'on signale à la marquise qu'un visiteur vient de se présenter à la poterne. Cet inconnu un peu agité explique qu'il arrive de Marseille où il a appris par un parent gendarme que Sade, poursuivi pour tentative d'assassinat, est recherché par la maréchaussée. Affolée, Renée Pélagie fait appeler son époux qui accourt ; il écoute le visiteur puis le remercie. Blême, il bredouille alors de vagues explications dont sa femme retiendra qu'il s'agit à nouveau d'une histoire de filles qu'il a quelque peu malmenées.

Dans l'heure qui suit, il organise sa fuite et entasse quelques affaires dans une de ces valises qu'on appelle portemanteaux. Il a décidé d'emmener avec lui Anne Prospère et son valet Latour. À midi, tous trois quittent La Coste, y laissant une femme désemparée entourée de ses trois enfants. L'aîné n'a pas encore cinq ans, le deuxième a trois ans et la cadette moins de quinze mois.

Les jours et les nuits vont se succéder sans que Renée Pélagie, ravagée par l'angoisse, reçoive la moindre nouvelle des fuyards. Afin d'éviter les regards et d'éventuelles questions de son entourage, elle ne quitte guère l'étage des chambres.

Les comédiens, abandonnés dans la plus totale confusion, se chamaillent, ne sachant quelle attitude adopter. La plupart d'entre eux décident de quitter les lieux. Certains partent pour Mazan. Ayant réclamé en vain ce qu'ils croyaient être leur dû, ils se paient en lançant moqueries et quolibets égrillards à la marquise. Fini le temps des fêtes et des spectacles ! Le château se vide peu à peu comme on abandonne un navire en détresse.

De nouveau seule, la malheureuse châtelaine s'inquiète de devoir affronter les exempts, mais toujours aussi prompte à réagir elle décide de demander à maître Fage d'accourir à son secours : il arrive d'Apt en toute hâte. Le samedi suivant, un officier de justice accompagné par un peloton de gendarmes se présente avec ordre d'arrêter Donatien et Latour. Après avoir fouillé en vain la demeure et ses dépendances, l'escouade parcourt les rues du village, proclamant haut et fort cet avis de recherche qui jette l'opprobre sur le marquis.

C'est de la bouche de l'officier que madame de Sade apprend enfin la nature de l'accusation portée contre son mari : tentative d'empoisonnement sur deux prostituées marseillaises. Elle ne peut en savoir plus. Atterrée, elle se sent soudain replonger dans l'horrible cauchemar de l'affaire Keller qui avait valu à Donatien sept mois d'emprisonnement à Saumur puis à Pierre-Encize.

Deux jours plus tard, s'étant quelque peu ressaisie, elle commence à échafauder des plans plus ou moins farfelus visant à extirper l'accusé du bourbier dans lequel il s'est fourré. C'est son étrange nature, dès que son conjoint est en péril, que d'oublier tous les déboires qu'il lui a fait subir. Elle en donnera bientôt une nouvelle preuve quand Anne Prospère, penaude et dépenaillée, reviendra à La Coste, épuisée par sa fugue aux côtés de son beau-frère. Dure épreuve pour la jeune femme habituée à son confort, à ses toilettes et à ses bains quotidiens. Elle s'est vite lassée des charmes de l'aventure. Il se peut aussi que son compagnon de voyage, désireux de pouvoir réagir rapidement à toute menace de capture, ait préféré se séparer de sa belle. À moins que par galanterie il n'ait voulu lui épargner les tribulations des fugitifs. Dans le doute, créditons-le de cette délicatesse. Il ne s'en montrera pas toujours aussi soucieux.

Renée Pélagie réagit avec mansuétude au retour de sa sœur, comme si la blessure qui lui avait été infligée par les deux amants était effacée par les nouvelles menaces qui se sont abattues sur le marquis. De son côté, la chanoinesse, essayant de se faire pardonner sa traîtrise, va redoubler de marques d'affection envers son aînée. Cette dernière, trop heureuse de ne plus être seule à se débattre contre les difficultés qui l'assaillent, fait mine d'oublier les frasques d'Anne Prospère.

Durant plusieurs jours, les deux femmes, inspirées par leur passion commune pour Donatien, vont faire assaut d'idées visant à enrayer les poursuites judiciaires engagées contre leur « bien-aimé ». Une chose est sûre : il leur faut pour cela se rendre à Marseille. Tirant les leçons de ce que sa mère avait entrepris avec succès dans l'affaire d'Arcueil, Renée Pélagie conclut à la nécessité d'acheter le silence des prostituées que son époux est accusé d'avoir empoisonnées. Mais où trouver l'argent nécessaire ?

Après avoir envisagé les rares solutions possibles, les sœurs de Launay décident de recourir à leur mère. Or la Présidente n'est pas femme à se laisser attendrir par la lettre que lui adresse sa fille. C'est un refus brutal qu'elle lui oppose. La haine que lui inspire son gendre s'est encore accrue lorsqu'elle a été informée par l'abbé de Sade des folles dépenses que le marquis engloutissait dans l'organisation de ses spectacles. Mais surtout, il lui est impossible de dominer la rage qui la submerge depuis qu'elle a appris que l'« infâme » était devenu l'amant d'Anne Prospère. Il ne peut s'agir selon elle que d'un viol – pis, d'un viol incestueux. Et voilà que ce monstre se double maintenant d'un empoisonneur ! Comment ose-t-on faire appel à elle pour secourir un tel criminel ?

Dépitée mais obstinée, Renée Pélagie ne renonce pas pour autant à son projet. Elle finit par obtenir un prêt, par l'intermédiaire du fermier Ripert, et dans les premiers jours d'août – cela fait alors un mois que Sade est en fuite – les deux sœurs partent pour Marseille. Elles sont étourdies par cette grande ville trépidante qui leur est tout à fait inconnue. Pour tenter de trouver la piste des deux plaignantes, il leur faut tout d'abord se rendre auprès du procureur du roi qui a instruit l'affaire. C'est là qu'elles découvrent la vraie nature des délits pour lesquels sont poursuivis Sade et Latour. Les accusations, loin de se borner à l'empoisonnement, portent aussi sur le crime de sodomie qui est alors passible de la peine de mort par le feu.

Sans entrer dans les détails de ces folles soirées marseillaises telles que les ont relatées les biographes, on peut dire des faits recensés dans le rapport d'enquête qu'ils ne diffèrent guère des figures imposées du marquis qui émailleront par la suite sa littérature : flagellations réciproques, masturbations, fellations, copulations diverses, sodomie active et passive... Les dépositions des prostituées impliquées dans cette affaire révèlent en outre qu'ayant toutes deux refusé d'être sodomisées c'est Donatien lui-même qui s'est fait pénétrer par Latour.

Mais rien de tout cela n'aurait déclenché un tel scandale si Sade n'avait eu ce soir-là la fantaisie de procéder à une généreuse distribution de dragées fourrées à la cantharide, poudre d'insectes réputée aphrodisiaque. Il en a fait absorber une telle quantité à ses partenaires que celles-ci ont bientôt été prises de nausées puis de violents vomissements. Donatien et son valet étaient déjà repartis pour La Coste quand les gendarmes marseillais ont été alertés par les victimes des fameuses dragées. L'enquête n'a pas tardé pas à évoquer une tentative d'empoisonnement volontaire, d'où les péripéties qui ont suivi : les poursuites engagées contre Sade et Latour, leur fuite de La Coste, les démarches menées à Marseille par Renée Pélagie et sa sœur.

Si habituée soit-elle aux sordides exploits du marquis, son épouse n'en est pas moins affligée, dégoûtée même, par le degré de déchéance auquel il est tombé : sa fréquentation des repoussantes prostituées qu'elle-même et Anne Prospère ont aperçues dans les quartiers du port de Marseille, les privautés sexuelles qu'il a subies de la part de son laquais, tout cela dépasse les bornes d'un libertinage tolérable. Il est vrai que Sade en a depuis bien longtemps franchi les frontières. Pourtant, surmontant ses répugnances et aussi, peut-être, une certaine jalousie inconsciente d'avoir été exclue des réjouissances érotiques de son mari, Renée Pélagie s'accroche à son projet : interrompre le cours de la justice afin que Donatien ne retourne pas en prison. Elle est absolument certaine qu'il n'a pu se rendre volontairement coupable d'empoisonnement.

Grâce à un huissier du procureur qu'elle a soudoyé, elle connaît désormais les noms des deux prostituées qu'elle veut circonvenir. Mais comment les approcher ? Elle-même se sent incapable d'entrer en relation avec ces créatures de l'enfer. Malheureusement, l'abbé Amblet et le procureur Sohier ne sont pas là pour se charger de les amadouer comme ils l'ont fait pour convaincre Rose Keller de retirer sa plainte au prix fort. Renée Pélagie va donc se mettre en quête d'un intermédiaire marseillais. Elle le trouve en la personne d'un notaire, maître de Carmis. Ce dernier, grassement rémunéré, s'acquitte sans plus tarder de sa mission auprès des deux filles, Marianne Lacoste et Marguerite Laverne, à qui il remet une forte somme en échange de leur renoncement à toute poursuite contre Sade. Ce désistement est dûment enregistré par le notaire.

Ainsi soulagée d'une partie de ses inquiétudes et des quelques milliers de livres prêtés par Ripert, la marquise décide de retourner à La Coste, entraînant Anne Prospère dans son sillage. Cette dernière est du reste aussi anéantie que sa sœur par la révélation des turpitudes marseillaises de Donatien. Que de bouleversements la jeune chanoinesse n'a-t-elle pas subis au cours des neuf mois qui se sont écoulés depuis le début de son séjour à La Coste !

Arrivée au château avec la fraîcheur et l'innocence supposée de ses vingt ans, auréolée de sa foi religieuse, elle s'est vue successivement sollicitée par la cour assidue d'un vieil abbé libidineux puis dépucelée par les assauts pervers de son beau-frère, non sans s'exposer du même coup au ressentiment de sa propre sœur. Quant à l'aventure qui s'est poursuivie dans une fuite éperdue aux côtés de Sade pour échapper aux exempts, elle n'a vraiment rien eu d'une promenade amoureuse. Et que dire de son équipée marseillaise avec Renée Pélagie ! Cette expérience vient de lui révéler la sombre arrogance des gens de justice, la misérable existence des prostituées et les répugnantes fantaisies sexuelles de l'homme qui l'a séduite. Bien que la vertueuse atmosphère de son couvent ne l'ait pas préparée aux dures réalités profanes, Anne Prospère va bien devoir assumer ses récentes découvertes. Elle est devenue une femme, ce qui ne manque pas de chagriner quelque peu sa sœur, consciente de perdre son ascendant sur elle.

La marquise n'en est que plus décidée à préserver l'importance de son propre rôle auprès de Donatien.

De retour à La Coste, elle entreprend de rendre compte à son mari des démarches qu'elle a entreprises à Marseille. Le rencontre-t-elle dans sa cachette ? Parvient-il à se glisser de nuit dans le château ? On l'ignore. Mais à l'évidence, apprendre le désistement des deux prostituées ne le rassure guère. Il se terre dans son refuge, causant à sa femme une cruelle déception. Ces interminables démarches, ces humiliations, cet argent qu'il a fallu donner, tout cela aurait-il été inutile ? Elle se laisse à nouveau gagner par une désespérante lassitude.

C'est une extraordinaire surprise qui vient la tirer de son marasme : la visite inopinée de son père, Jacques Cordier de Launay de Montreuil. Il y a là de quoi s'étonner. Cet homme falot totalement soumis à la tyrannie de son épouse ne s'est intéressé qu'à l'éducation de ses fils, or voilà qu'il entreprend seul un long et épuisant voyage à travers la France, déambulant et suant sur les routes de Provence sous l'écrasant soleil du mois d'août pour retrouver ses filles à l'improviste. Certainement pas pour leur exprimer son affection, mais bien plutôt pour calmer ses propres inquiétudes et celles de la Présidente.

N'oublions pas que les deux sœurs, quand a éclaté l'affaire de Marseille, ont sollicité l'aide de leur mère et que celle-ci leur a brutalement opposé un refus, les abandonnant, désemparées, à leur solitude. Les parents de Montreuil ont peut-être cru égoïstement pouvoir couper les ponts, se draper dans leur dignité et laisser leurs filles se débattre dans la fange où les avait précipitées Sade. Mais les souillures du scandale sont retombées sur toute la famille. Les gazettes se sont déchaînées avec plus de violence encore qu'après l'éclat d'Arcueil, s'acharnant sur la personnalité du marquis et provoquant une époustouflante surenchère de détails. On ne s'est pas encombré de scrupules pour les inventer. Ce ne sont plus deux prostituées qui ont été incommodées par des dragées mais une foule de convives, venus à une fête organisée par le marquis, qui ont été délibérément empoisonnés après s'être livrés à une débauche de « rage utérine » et de « priapisme effroyable ».

Excitées par ces redoutables bobards, les gorges chaudes sont allées bon train dans l'entourage des Montreuil qui, par le biais des exploits de leur gendre et des mésaventures de leurs filles, ont vu leur propre dignité compromise. Le déballage public que risque d'entraîner l'enquête de justice décidée à Marseille ne pourrait qu'entacher plus encore le nom des Montreuil et nuire à la carrière de leurs fils engagés au service du roi. Fidèle à sa méthode, la Présidente a jugé urgent d'arrêter toute procédure judiciaire et de s'entourer à cette fin des relations que son mari, ex-président de la Cour des aides, conserve dans la magistrature. C'est dans ce dessein que monsieur de Montreuil a été expédié en Provence.

La situation telle qu'il l'observe en arrivant à La Coste n'est guère brillante : ses filles en pleine détresse, les enfants mal nourris et débraillés ainsi que des petits paysans, Donatien et son valet en fuite, les rares domestiques désœuvrés, le château à l'abandon. Le premier geste du Président est de donner de l'argent à son aînée. Puis il se fait raconter par elle le détail de ses démarches à Marseille et dresse la liste des personnes qu'elle y a sollicitées. Ce bilan lui paraît bien insignifiant. Plus inquiétant encore à ses yeux est l'achat du désistement des deux prostituées : selon lui, de l'argent gaspillé. La manœuvre est en outre fort dangereuse car il s'agit bien là d'une subornation de témoins, ce qui alourdit les charges de l'accusation.

Si l'on en croit les ragots rapportés plus tard par son gendre, monsieur de Montreuil aurait succombé, lors de son séjour à La Coste, aux charmes de la Gothon, une robuste Suissesse judicieusement embauchée comme « femme de chambre ». Quoi qu'il en soit, malgré ce possible réveil inespéré de ses sens, il doit bientôt quitter le château pour exécuter le plan que lui a fixé la Présidente. Il s'agit d'entreprendre une tournée des magistrats intervenant plus ou moins directement dans la procédure déclenchée par le scandale de Marseille à seule fin de les apitoyer, non pas sur les méfaits du marquis mais sur la détresse de ses honorables beaux-parents. Mission scabreuse : autant essayer d'acheter la complicité des juges.

À La Coste, Renée Pélagie, déjà passablement déprimée, a été totalement anéantie par le pessimisme de son père. Elle ne croit pas que cet homme faible et timoré ait la possibilité d'infléchir le cours de la justice. On ne peut donc espérer le moindre salut quant aux chances de Donatien d'échapper à une lourde condamnation, d'autant plus sévère qu'on ne pardonnera pas à l'accusé de s'être dérobé aux poursuites et d'avoir tenu en échec les tentatives d'arrestation.

Une nouvelle descente de la maréchaussée pourrait bien viser Mazan ou Saumane et aboutir à la capture du fuyard. À cette idée, la marquise s'affole et fait parvenir un message à son mari, le suppliant de quitter la région. On ignore comment se font les préparatifs, mais à l'évidence ils sont rondement menés et Sade prend le chemin de l'exil à destination de l'Italie. Il ne part pas seul. Qu'il ait décidé d'emmener avec lui le fidèle Latour n'a rien de surprenant. Plus étonnante est l'acceptation d'Anne Prospère de suivre son amant dans cette nouvelle aventure au mépris des risques courus, et surtout en faisant preuve de la plus totale indifférence quant au désespoir qu'en ressentira Renée Pélagie, une fois de plus bafouée.

Entre-temps, monsieur de Montreuil s'est rendu d'abord à Marseille puis à Aix, où siège le parlement de Provence. Trop tard ! Malgré le constat des médecins et des apothicaires qui, commis par la police, n'ont découvert aucune trace d'arsenic dans les bonbons du marquis ni dans les déjections des prostituées malades, l'accusation d'empoisonnement a été maintenue, ainsi que le crime de sodomie. En outre, comme l'avait prévu monsieur de Montreuil, le revirement des deux plaignantes a produit le plus mauvais effet sur les juges, qui ont décidé de l'ignorer.

Conscient de son impuissance, le père de Renée Pélagie reprend sans plus tarder la malle-poste pour Paris. Le 11 septembre 1772, le parlement de Provence rend sa sentence, virtuelle, certes, mais néanmoins impitoyable : le marquis de Sade et son valet Latour sont condamnés à être exécutés en effigie. Le mannequin figurant Donatien aura le cou tranché, celui de son valet sera pendu. Puis tous deux seront jetés sur le bûcher et leurs cendres dispersées.

La nouvelle de cette exécution, si fictive soit-elle, est très fortement ressentie dans le village de La

71

Coste. Non que les habitants éprouvent la moindre affection pour leur seigneur. Ils sont majoritairement protestants, nullement serviles et tout à fait conscients du mépris que leur « maître » affiche envers le peuple, même lorsqu'il s'adresse aux paysans dans ce patois provençal qui réveille l'accent de sa jeunesse. Il n'est pas plus en odeur de sainteté auprès des catholiques. Contrairement à l'usage, il ne verse aucun subside à l'Église, au point que le curé a dû transformer son presbytère en élevage de vers à soie, ce qui lui permet de gagner quelques sous afin de pourvoir à ses maigres besoins. Sade n'est pas enclin à plus de générosité concernant l'entretien des pauvres. Par ailleurs, il néglige totalement ses obligations seigneuriales, notamment en matière de justice. En conséquence, les petits conflits locaux, n'étant pas réglés sur place par son arbitrage, doivent être jugés à Aix.

Les ressentiments des villageois se sont quelque peu apaisés lorsque, en novembre 1771, Donatien a installé sa femme et ses enfants à La Coste. En signe de bienvenue, la communauté a même offert un cadeau à la jeune marquise. On s'est imaginé au village que la vie de famille allait stabiliser les humeurs du marquis et l'inciter à mieux s'occuper de son fief. S'il n'en a rien été, le scandale de Marseille, les accusations de sodomie et de tentative de meurtre portées contre lui ont inspiré aux habitants de La Coste de la compassion envers son épouse. Ils plaignent son triste sort, bien qu'à leur commisération se mêle un peu d'ironie. Personne, en effet, n'ignore que Sade s'est enfui en compagnie de sa belle-sœur. Mais Renée Pélagie assume sa peine et son dénuement avec une telle dignité qu'elle pourrait passer pour l'incarnation du sacrifice. On en viendrait même à se demander si cette impassibilité ne cache pas quelque coupable complaisance.

C'est le cas, au tout début d'octobre 1772, lorsque la châtelaine voit revenir Anne Prospère à La Coste. Celle-ci ne paraît guère plus embarrassée que le jour où, sortant pour la première fois du lit du marquis, elle a tout simplement rejoint sa sœur dans le cours naturel des choses. En cette nouvelle circonstance, Renée Pélagie – noblesse du cœur ou misérable lâcheté – accueille la traîtresse sans manifester d'autre tourment que de l'inquiétude concernant le sort de Donatien. C'est avec une intense attention qu'elle écoute le récit du merveilleux voyage qui les a amenés à Venise puis dans de nombreuses autres villes de la péninsule. Emportée par son enthousiasme, Anne Prospère ne semble pas avoir conscience de l'indécence de ses propos. Elle a cependant le tact de ne pas révéler à sa sœur que Sade, au cours de leurs pérégrinations, l'a toujours présentée comme son épouse. Elle est tout aussi discrète sur les motifs qui l'ont conduite à le quitter pour rentrer en France. Il se peut qu'il se soit agi de simples dispositions d'ordre pratique.

De fait, tandis que la jeune femme empruntait la voie terrestre, le marquis a décidé de regagner la France par la mer, au risque de se faire coffrer dès sa descente de bateau. Il débarque à Marseille sous le nom de comte de Mazan, ce même pseudonyme qu'il a adopté lors de son périple italien. Il évite néanmoins, malgré le désir qu'il en a, de se rendre à La Coste et prend sans tarder la route de sa nouvelle cachette, Chambéry, repaire idéal dont la juridiction, dépendant du royaume de Piémont-Sardaigne, échappe à l'autorité du roi de France.

Afin de ne faire aucune rencontre malencontreuse, il renonce à s'installer en ville et se terre dans une modeste maison en pleine campagne, n'ayant pour seule compagnie que celle de son fidèle Latour auquel il a adjoint depuis peu un autre serviteur, Carteron, surnommé La Jeunesse. Jamais il n'aura été aussi discret et prudent. Soucieux de ne pas s'exposer au moindre risque, il se retient même d'écrire à Renée Pélagie dont il devine pourtant l'inquiétude, ignorante qu'elle est du lieu où se trouve son mari.

Ignorance réciproque. Donatien ne peut savoir que la marquise a alors quitté La Coste en compagnie d'Anne Prospère pour se rendre à Paris chez ses parents. Ses enfants, qu'elle a laissés en Provence, viendront la rejoindre plus tard. Il convient en effet qu'elle prolonge son séjour dans la capitale jusqu'à ce que soit réglée la question de l'administration des biens du marquis, porté disparu depuis qu'il s'est évanoui en des lieux inconnus.

Imprévisible Sade, prince de la gaffe, roi de la bourde, empereur de la désinvolture. Le voici qui commet la faute magistrale. Voulant se justifier aux yeux de sa belle-mère, espérant reconquérir son estime, il lui adresse une lettre, touchante plaidoirie, qui n'aura pour effet que de précipiter sa perte. Connaissant désormais le lieu où se cache son gendre, la Présidente entreprend aussitôt une démarche auprès de l'ambassade de Piémont-Sardaigne. Au soir du 8 décembre 1772, une escouade de soldats investit le refuge du marquis qui est aussitôt mis aux arrêts. Le lendemain, il est conduit sous bonne garde à la citadelle de Miolans, redoutable prison d'État dont le commandant est un certain Louis de Launay, qui n'a aucun lien de parenté avec la belle-famille du marquis. Il est néanmoins étrange, comme on le verra par la suite, que ce nom revienne avec tant d'insistance dans la destinée du personnage.

C'est par sa mère que Renée Pélagie apprend en même temps la présence de Donatien en Savoie et son emprisonnement à Miolans. La Présidente s'est toutefois bien gardée de révéler à sa fille le rôle perfide qu'elle a personnellement joué dans cette arrestation. Comme à l'accoutumée, dès que son époux a maille à partir avec la justice, la marquise accourt à la rescousse. Après avoir adressé au commandant de Launay une lettre très ferme le menaçant de poursuites auprès de sa hiérarchie s'il n'adoucit pas les conditions de détention du prisonnier, elle élabore une autre stratégie, faisant ainsi preuve, dira un commentateur, Paul Ginisty, « de l'énergie des âmes timides quand elles se décident à l'action ». Commence alors une aventure digne d'un roman de Paul Féval.

Le 7 mars 1773 au crépuscule, un certain Dumont, de nationalité française, se présente à la grille du fort de Miolans. Il affirme être un ami de madame de Sade et demande à rendre visite au marquis. Il est poliment éconduit. Dès le lendemain, c'est du gouverneur de Savoie, le comte de La Tour, que ce même Dumont sollicite un entretien. Sa requête est la même : pouvoir rencontrer Donatien. Nouveau refus poli, mais l'homme est obstiné. Le

9 mars, il revient à la charge ; n'obtenant toujours pas gain de cause, il prie le comte de La Tour de remettre à Sade une lettre de sa femme.

Pendant ce temps, un autre Dumont, frère du précédent, a pris la route du Piémont jusqu'à Montmélian où il a fait mettre trois chevaux à sa disposition. Vains préparatifs. Il y a déjà plusieurs jours, en fait dès leur arrivée à Chambéry, que les prétendus frères Dumont ont été démasqués par les autorités savoyardes. En effet, les comploteurs ne sont autres que Renée Pélagie, travestie en homme, et son serviteur, un certain Albaret. Leur projet, rocambolesque, visait à organiser l'évasion de Sade et à gagner la frontière pour fuir en Italie. Puériles élucubrations. À peine sont-ils descendus de la malle-poste en provenance de Lyon que les deux conspirateurs ont été repérés. S'ils n'ont pas été arrêtés aussitôt, c'est que la situation amusait le gouverneur de Savoie, et aussi par égard pour la marquise.

Bredouille, attristée par l'échec de sa romanesque aventure, celle-ci repart pour La Coste. Pauvre châtelaine, harcelée par les créanciers, épuisée par les multiples tâches qu'exige l'exploitation des terres, en butte aux récriminations de son fermier Ripert, languissant loin de ses enfants qu'elle a laissés à Paris aux bons soins de la Présidente. Elle fait face comme elle peut à son désarroi. Voici plus de quatre mois qu'elle n'a plus la moindre nouvelle de Sade. C'est donc à la fois avec beaucoup d'espoir et d'inquiétude qu'au début de mai 1773 elle apprend son évasion en compagnie d'un codétenu, le baron de L'Allée. « J'aime mieux la mort que la perte de ma liberté », a écrit l'impétueux marquis dans un message d'adieu laissé à ses geôliers.

En proie à la plus grande inquiétude, Renée Pélagie finit par apprendre de sa mère qu'en août Donatien a envoyé de Bordeaux une lettre à la Présidente pour qu'elle lui expédie quelques liquidités afin qu'il puisse passer en Espagne. Telle est du moins la thèse de certains biographes. D'autres auteurs, se fondant sur la correspondance du marquis, prouvent, sans qu'il y ait contradiction avec les faits rapportés ci-dessus, que le mois suivant il se trouve en Italie. À preuve, une lettre expédiée de Rome le 9 septembre 1773 et adressée à son notaire, François Fage, dans laquelle il se fâche contre ceux qui empêchent la marquise de lui faire parvenir l'argent dont il a besoin. Madame de Sade, attristée de devoir tenir ce rôle de pourvoyeuse de fonds sans recueillir la moindre nouvelle sur le sort de son mari, s'abîme dans la plus cruelle des attentes, celle qui s'enlise dans l'impression de ne plus rien espérer.

Mais voici que dans les derniers jours d'octobre l'imprévisible marquis arrive à La Coste, où il n'a pas mis les pieds depuis plus de quinze mois. Comme cela a déjà été le cas au cours de l'été 1772, il se terre prudemment dans les alentours, sans doute dans l'un des celliers de Ripert, prenant bien soin de ne pas se faire voir au château, encore moins au village. Son épouse le rejoint discrètement certains soirs, lui apportant des vivres, des livres et surtout du réconfort.

Depuis l'affaire de Marseille, depuis ses fredaines avec Anne Prospère, un surprenant silence s'est abattu sur les exploits sexuels de Sade le pervers, l'incestueux, le sodomite. Certes, une vague rumeur lui impute la compagnie d'une jeune inconnue lors de son séjour à Chambéry. Durant les cinq mois de son incarcération au fort de Miolans, il n'a connu d'autres plaisirs, semble-t-il, que les parties de cartes et de jeu de quilles, arrosées de nombreuses bonnes bouteilles partagées à grandes lampées avec ses codétenus. Aucune allusion à une quelconque pratique licencieuse qui aurait échappé à la vigilance des geôliers. Il se peut néanmoins qu'après son évasion il ait joyeusement fêté son retour à la liberté au cours de son échappée à Bordeaux et au-delà de la frontière espagnole, puis en Italie. Il n'en a pas pour autant manifesté moins de fougue lors de ses retrouvailles avec Renée Pélagie.

Heureusement que cette dernière dort seule au château dans la nuit du 6 janvier 1774. L'heure est déjà très avancée lorsqu'elle est tirée de son sommeil par des coups violents qui ébranlent la porte basse. Elle jette en hâte un grand châle de laine sur sa robe de nuit et se précipite dans l'escalier conduisant au grand cabinet d'assemblée. Une troupe d'hommes en armes a déjà envahi l'étage, s'emparant des chandeliers pour les allumer. L'un des sbires, le chef apparemment, se jette sur la marquise et la menace avec un pistolet. Il la malmène, la secoue par le bras, lui hurle au visage de dire où se cache le marquis. Rendu encore plus furieux par la réponse de la pauvre femme qui persiste à affirmer que son mari est absent, il se précipite sur les meubles, en arrache les portes et les tiroirs, disperse les papiers qu'il y trouve, jette au feu ceux qui ne l'intéressent pas. De leur côté, les gendarmes, que Renée Pélagie reconnaît à leurs uniformes, fouillent toutes les autres pièces, lacèrent les tableaux, déchirent les tentures, renversent tables et fauteuils, tirent les tapis. À l'étage, les chambres sont visitées avec la même violence – armoires vidées, lits retournés, matelas éventrés, draps et lainages éparpillés. D'autres hommes sont partis explorer les communs. Aucun recoin n'échappe à leur hargne.

Au bout de plus d'une heure de saccage, la troupe se rassemble pour quitter les lieux après que le chef a vociféré des menaces contre madame de Sade, lui promettant de revenir bientôt. La marquise, qui, malgré la terreur qu'elle a éprouvée, a su vaillamment garder son sang-froid, entend les gendarmes sortir bruyamment du château. Elle tremble d'effroi à l'idée qu'ils puissent fouiller les alentours et s'emparer de Donatien. Mais bizarrement, ils enfourchent leurs chevaux et s'éloignent au trot.

Anéantie par la nouvelle épreuve qu'elle vient de subir, Renée Pélagie rejoint Donatien dans sa cachette. Tous deux s'accordent rapidement à reconnaître dans cette perquisition la marque de madame de Montreuil. Plusieurs indices corroborent cette impression. Les hommes de main qui ont fouillé le château visaient manifestement deux objectifs : arrêter Sade et s'emparer de papiers compromettants. De quelle nature ? Le marquis n'est pas long à le deviner. C'est lui-même qui a caché dans la bibliothèque les lettres enflammées et les petits billets amoureux que lui a adressés Anne Prospère du temps de leur tumultueuse liaison. Or la belle chanoinesse vient de faire l'objet d'un époustouflant projet de mariage avec le marquis de Beaumont, neveu de l'archevêque de Paris. Il y a là de quoi faire tomber en pâmoison l'orgueilleuse Présidente. Encore convient-il d'épousseter le blason familial en le débarrassant des souillures infligées par les trop fameux exploits du gendre infâme. Et pour cela il faut sans plus tarder jeter celui-ci au plus profond d'un cul-de-basse-fosse, et surtout détruire tout indice qui pourrait faire douter de la pureté virginale d'Anne Prospère.

La lettre que Donatien adresse le 2 mars 1774 à François Ripert est à cet égard explicite : « Le dernier esclandre n'a été fait que pour enlever les lettres de madame de Launay, la famille de monsieur l'archevêque de Paris ayant exigé cette cérémonie avant de consentir à lui donner le marquis de Beaumont pour époux. Vous pouvez répandre partout cette nouvelle et ce développement de l'expédition qui a tant fait jaser. Vous le devez, même, pour faire cesser les mauvais bruits qui pourraient en courir sur mon compte. »

Malgré le complot ourdi pour faire oublier Sade et récupérer les preuves de sa liaison avec Anne Prospère, madame de Montreuil en est pour ses frais, au sens propre du terme. L'expédition des gendarmes à La Coste lui a été chèrement facturée ; par ailleurs, le mariage de sa fille avec le neveu de l'archevêque n'aura pas lieu. C'est en vain qu'en juillet la blonde chanoinesse se rend précipitamment à Paris afin d'y être présentée à la famille de Beaumont : les parents du prétendant ont déjà coupé court au projet matrimonial intéressant leur fils – qui d'ailleurs mourra célibataire à l'âge de soixante-douze ans.

Enfin, l'échec de la descente de police à La Coste

fait perdre à la Présidente un précieux mouchard : François Fage, le fameux notaire d'Apt régisseur des biens de Sade. C'est à lui, on s'en souvient, que Renée Pélagie a fait appel en juillet 1772 lorsque Donatien a dû prendre précipitamment la fuite afin d'échapper aux exempts venus l'arrêter pour tentative d'empoisonnement sur les personnes des prostituées de Marseille. Abusant de la confiance que la marquise lui a accordée et sollicité par madame de Montreuil, le notaire a vite compris les avantages qu'il pourrait tirer de la situation. Il est donc devenu l'espion de la Présidente, comme l'avait été avant lui l'abbé de Sade. Démasqué, il est désavoué par Renée Pélagie, qui décide de se passer de ses mauvais services. Ce sera désormais un concurrent direct de Fage, maître Gaufridy, exerçant lui aussi à Apt, qui prendra en charge les affaires du couple Sade.

Les talents de ce nouveau notaire sont mis très vite à contribution pour l'exécution d'un projet auquel Renée Pélagie réfléchit depuis bien longtemps et dans lequel elle a investi toute l'amertume qu'elle ressent à l'encontre de sa mère. Elle demande à Gaufridy de rédiger un long mémoire des griefs qu'elle nourrit envers la Présidente afin de pouvoir porter plainte contre elle. Une requête adressée à monsieur Chapotte, procureur au Châtelet, décrit toutes les infortunes subies par le marquis et par elle-même. Elle en rend responsable madame de Montreuil pour une large part, dénonçant l'acharnement déployé par cette dernière contre son gendre. Curieusement, elle évoque aussi la trahison d'Anne Prospère, qu'elle ne peut pourtant imputer à leur mère. Quoi qu'il en soit, du fait de l'incurie judiciaire ou sous l'effet des protections dont bénéficie la Présidente, cette initiative restera lettre morte, abandonnée aux archives du Châtelet.

Sade, lui, continue de se cacher tel un animal traqué, tantôt aux alentours de La Coste, tantôt à Mazan, tantôt chez l'abbé Vidal, à Oppède. Cette vie de paria l'accable : « De grâce, sauvez-moi des malheurs qui sont suspendus sur ma tête », écrit-il à François Ripert. Une fois encore il décide de s'enfuir vers l'Italie, sa terre d'asile, le seul pays où il puisse pleinement jouir de la liberté. Encore doit-il pour cela parvenir jusqu'à la frontière sans être capturé. C'est avec l'aide de son épouse et du brave Ripert qu'il met au point cette nouvelle expédition. Elle s'avère aussi rocambolesque que les précédentes, comme si tout, chez le marquis, ne pouvait être qu'aventure.

Le voici, le 11 mars 1774, déguisé en curé pour se faire conduire en carriole par de petites routes jusqu'à Pont-Saint-Esprit. De là il s'embarque sur le Rhône pour gagner Marseille. C'est alors, comme il l'écrira à Renée Pélagie, que se produit un incident propre à le consoler de toutes ses épreuves : à la confluence du fleuve avec la Durance, le cordage du bac cède, laissant dériver l'embarcation. Affolés, les passagers se précipitent vers le faux abbé pour obtenir sa bénédiction ; il s'empresse de la leur accorder, lui l'incurable athée, avec l'onction digne d'un cardinal.

Enfin Donatien gagne l'Italie, d'où il envoie bientôt de ses nouvelles à sa femme sous la forme d'une demande d'argent. Pour se justifier il prétexte sa crainte d'avoir été reconnu par un autre voyageur.

Mais tout laisse supposer que, pressé de se consoler de ses mésaventures hivernales, il souhaite surtout s'offrir quelques bons moments de *dolce vita*. Rares plaisirs, sans doute, faute d'argent trop vite dépensé. Toujours est-il qu'à aucun moment il ne se préoccupe des privations que s'impose Renée Pélagie, isolée entre les murs du château de La Coste.

Le 10 mai 1774, Louis XV expire, terrassé par la petite vérole. L'annonce de sa mort est accueillie par son peuple avec la plus totale froideur, sauf de la part du couple Sade. Les époux espèrent que la disparition du roi annulera la lettre de cachet signée de sa main. Pure illusion ! Madame de Montreuil, toujours aussi vigilante, intervient au plus vite afin que le jeune Louis XVI reconduise l'ordre d'arrestation de son gendre.

Cependant, le chancelier René de Maupéou, sous l'autorité duquel Donatien a été poursuivi et condamné, vient d'être destitué et remplacé par Armand de Miromesnil, nouveau garde des Sceaux. Surtout, ce serait bien mal connaître Renée Pélagie que d'imaginer la moindre résignation de sa part. Elle est d'autant plus décidée à agir vigoureusement qu'elle est indignée par l'injustice dont fait preuve son mari à son égard. En effet, Gaufridy, non sans malignité, lui a communiqué la lettre qu'il a reçue du marquis : « Enhardissez bien madame. Qu'elle fasse l'impossible pour terminer tout dans les quatre mois que je lui donne encore pour cela. Mais, au nom de Dieu, qu'elle s'arrange pour ne plus me faire mener la vie vagabonde et errante que je mène : je sens que je ne suis pas fait pour être un aventurier, et la nécessité où je suis d'en jouer le rôle est un des plus grands supplices de ma situation. »

La marquise se rend à Paris. Une fois dans la capitale, elle prend bien soin de ne pas s'installer chez ses parents. N'oublions pas qu'elle a porté plainte contre sa mère et qu'elle a donc quelque raison de redouter l'accueil de madame de Montreuil. En outre, elle n'ignore pas que ses enfants ne résident pas à Paris mais dans le petit château familial d'Échauffour. Elle décide donc de se loger à l'hôtel de Bourgogne, rue Taranne, dans le faubourg Saint-Germain.

Dès le lendemain de son arrivée elle entreprend de multiples démarches. Renvoyée d'un interlocuteur à l'autre, elle finit par comprendre qu'il est encore un peu tôt pour espérer faire lever la lettre de cachet dont Sade fait l'objet. Il est à craindre que Louis XVI, qui n'a que vingt ans, ne soit encore trop jeune et trop prude pour supporter qu'on lui mette sous les yeux le dossier des horreurs libertines dont le marquis s'est rendu coupable. Mieux vaut donc attendre qu'ait abouti le pourvoi en cassation qui doit être examiné par le parlement de Provence au cours de sa prochaine session.

Qui est vraiment cette femme qui, en ce début d'octobre 1774, effectue en diligence le trajet de Paris à Lyon ? Apparemment insensible aux cahots de la route, est-elle consciente des métamorphoses qui se sont opérées en elle ? C'est dans la prière qu'elle cherchait naguère la fin de ses tourments. Vain recours lorsqu'il lui a fallu affronter les policiers de Marseille, les geôliers de Moisans, les envahisseurs de La Coste, les procureurs du Châtelet, les escrocs de partout. Elle a dû alors transgresser ses propres limites : comploter avec des fripouilles, suborner des prostituées, se déguiser en homme, inspirée par une passion ne s'exprimant plus que par des actes étonnamment audacieux. Au total, un bilan bien peu conforme aux principes qui lui ont été inculqués dans l'enfance. Qu'est-elle devenue, la jeune dévote qui se laissait émouvoir par les sermons de l'abbé Gaudemar, qui retenait difficilement ses larmes quand elle priait au pied du christ de bois sculpté dans l'église d'Échauffour, qui faisait ses neuvaines et vibrait à la lecture de la vie des martyrs ? Ah ! les martyrs ! L'apologie du sacrifice : n'est-ce pas là que Renée Pélagie puise sa propre abnégation ? Jusqu'à la déchéance ?

IV

Bacchanales au château

C'est une lettre du marquis qui a enjoint à Renée
Pélagie de quitter Paris. Frustré, faute d'argent,
d'une pleine jouissance de son séjour italien, Sade a
décidé de rentrer en France. Avant de retourner à La
Coste, il demande à sa femme de le rejoindre à Lyon.
Tous deux doivent ensuite s'installer au château
pour y passer l'hiver.

Voilà onze ans qu'ils sont mariés. Lui n'a pas
encore trente-quatre ans, elle en a trente-deux. Il
porte beau : allure de grand seigneur, les traits
marqués – par le caractère plus que par les excès.
Elle, s'est un peu alourdie, la silhouette assumée sans
coquetterie, mais inflexible, la poitrine haute, le
visage encore lisse, le regard fervent. Forment-ils un
couple ? Non. Plutôt un alliage. Loin de les avoir
séparés, les aléas de leur étonnante existence les ont
scellés l'un à l'autre. Elle lui restera passionnément
asservie à jamais. Lui, le cynique qui en 1765 parlait
de la « répugnance » que lui inspirait son épouse,

finira par lui dire seize ans plus tard : « Je t'aimerai jusqu'au cercueil. » Ce qui ne l'empêche pas de revendiquer haut et fort son droit au libertinage, sans en exclure la part de liberté inconditionnelle que comporte ce mot.

Voilà qui éclaire les événements qui se déroulent à Lyon lorsque Donatien et Renée Pélagie s'y retrouvent en octobre 1774. Sade expliquera lui-même, dans sa « grande lettre » datée du 20 février 1781, qu'à la perspective de l'hiver qu'il va passer à La Coste et, dit-il, « ayant pour tort infime d'aimer peut-être un peu trop les femmes », il s'est adressé à une maquerelle lyonnaise réputée, une certaine Nanon, afin qu'elle lui fournisse des filles, « trois ou quatre servantes jeunes et jolies » qu'il emmènera dans son château.

Comme à l'accoutumée, Renée Pélagie s'en remet aux décisions de son mari. N'ignorant évidemment pas l'usage qu'il fera desdistes « servantes », elle fait ainsi preuve d'une coupable complaisance, et même de complicité. Certains commentateurs assimileront son rôle à celui d'une vulgaire maquerelle. L'accusation paraît abusive. Comment la marquise aurait-elle pu agir autrement ? En aurait-elle eu le pouvoir ? A-t-elle jamais pu faire obstacle aux frasques sexuelles de Donatien, qu'il se soit agi de la Testard, de la Colet, de la Beaupré, de la Beauvoisin, de la Rivière, de la Keller, de sa propre sœur comme de beaucoup d'autres ? Mieux valait encore, à ses yeux, que Sade ait son cheptel de filles sous la main plutôt qu'il aille courir la gueuse à Marseille.

C'est donc en accord avec sa femme que le marquis commence par recruter Nanon, homonyme de la maquerelle lyonnaise, de son vrai nom Anne Sablonnière, dont il apprécie les formes onduleuses et les judicieux conseils. Sera ensuite engagé un garçon d'une quinzaine d'années, André, censé remplir les fonctions de secrétaire, mais qui selon les projets de son nouveau maître devra compléter son emploi par d'autres tâches plus divertissantes. Avec l'aide de Nanon, Donatien complète sa petite troupe par un lot de cinq filles à peine pubères convaincues de le suivre sans que leurs parents aient été prévenus.

Accompagnés par ce surprenant cortège de sept jeunes domestiques babillant bruyamment, monsieur et madame de Sade font une entrée très remarquée à La Coste. Ils sont accueillis au château par les membres du personnel qui y sont déjà installés : la demoiselle Du Plan, gouvernante, naguère danseuse, flanquée de la plantureuse Gothon, femme de chambre de la marquise – « le plus beau cul qui se fût échappé des montagnes de Suisse », écrira Sade. Légèrement en retrait de ces deux fortes personnalités, voici encore Rosette et Madelon, toutes deux servantes, la seconde originaire du village même. Comptons aussi le brave Carteron, surnommé La Jeunesse, valet du marquis. Sans oublier Jean Saint-Louis, l'homme à tout faire. Enfin, deux ou trois souillons sont affectées à la cuisine. Au total, une quinzaine de personnes employées aux tâches ménagères et à la satisfaction des plaisirs.

Voilà qui implique un train de vie que Sade n'a pourtant plus les moyens de s'offrir. De fait, on est loin de ce qu'on a coutume d'appeler la « vie de château ». On grelotte à La Coste au cours de ce rude hiver de 1774-1775 ; chambres et salons sont loin d'être toujours suffisamment chauffés. Et l'on ne peut même pas compter sur un bon souper pour se réconforter. La nourriture proposée est plutôt chiche, qui se compose le plus souvent de quelques légumes, très rarement de viande.

L'atmosphère doit évidemment s'en ressentir. Telle est du moins l'impression qui se dégage de la lettre que le châtelain adresse à son notaire, Gaufridy, en décembre 1774. Il s'agit d'une invitation à « dîner » riche d'enseignements, à condition de lire entre les lignes. La rencontre a pour objet de confier à Gaufridy le soin de régler le compte d'un certain Chauvin, un fermier dont le marquis veut se débarrasser. Il est aussi question d'un abonnement à une gazette que souhaite recevoir Renée Pélagie, ce qui montre, incidemment, qu'elle s'intéresse aux événements extérieurs.

Mais l'essentiel de la lettre est ailleurs, dans les indications qu'elle nous donne sur le mode de vie au château de La Coste : « Je vous prie de bien vouloir venir de bonne heure, au moins pour dîner, c'est-à-dire à trois heures ; vous m'obligerez d'observer cette même coutume toutes les fois que vous viendrez nous voir cet hiver. En voici la raison. Nous sommes décidés, par mille raisons, à voir très peu de monde cet hiver. Il en résulte que je passe la soirée dans mon cabinet et que Madame, avec ses femmes, s'occupe dans une chambre voisine jusqu'à l'heure du coucher, moyennant quoi, à l'entrée de la nuit, le château se trouve irréversiblement fermé, feu éteint, plus de cuisine et souvent plus de provision. Conséquemment, c'est vraiment nous déranger que de ne pas arriver pour l'heure du dîner. »

Que déduire de cette lettre pour le moins discourtoise et absolument péremptoire ? Que le maître des lieux, à l'évidence, ne veut pas être dérangé après le coucher du soleil hivernal – environ dix-sept heures. Les éventuels visiteurs ont alors été évacués. Les portes sont fermées. La demeure se replie sur elle-même, une fois le dîner expédié, le service de cuisine achevé, les fourneaux éteints.

Que se passe-t-il alors ? Sade, de son propre aveu, s'enferme dans son cabinet. Sans doute n'y est-il pas seul. Il s'adonne à ses plaisirs favoris avec les filles qu'il a ramenées de Lyon. Qu'en fait-il ? Il s'en sert. Telle est l'expression qu'il emploiera lui-même dans sa fameuse « grande lettre » déjà mentionnée : « Nanon me promet ces filles et me les donne. Je les emmène, je m'en sers. » Un langage dépourvu de toute ambiguïté. Pendant ce temps, « Madame est dans sa chambre avec ses femmes », c'est-à-dire celles qu'il n'a pas retenues ce soir-là.

Quant à la façon dont Donatien « se sert » des filles, on peut aisément l'imaginer. Mais ce serait mal connaître le personnage que de voir en lui un banal jouisseur. S'appliquant à mettre en scène ses fantasmes comme il l'a fait pour ses œuvres théâtrales, il utilise son boudoir comme un laboratoire d'érotisme, y mettant minutieusement au point toutes les pratiques sexuelles qui formeront par la suite la trame de ses romans, d'*Aline et Valcour* à *La Philosophie dans le boudoir*, en passant par *Les Cent Vingt Journées de Sodome* et *Justine ou les Malheurs de la vertu*.

En effet, ses héroïnes ne sont pas sorties toutes nues de son imagination fertile. Avant qu'il ne donne naissance aux personnages d'Aline, de Justine, de Juliette, les créatures du « divin marquis » se sont appelées Nanon, Rosette, Gothon, sans oublier les cinq fillettes qu'il appelait les « poulettes » et dont les prénoms ont été oubliés. De vrais êtres humains, donc, comme autrefois Jeanne Testard, Rose Keller et les deux prostituées de Marseille, Marguerite et Marianne. Toutes, elles ont été soumises aux défis, aux transgressions, aux infamies. Non pas, de la part de Donatien, pour le plaisir, vulgaire, d'humilier ces pauvres filles. Il se targue d'ambitions autrement plus élevées. Le but ultime du cérémonial sadien, c'est l'expression, violente, de son athéisme, de son refus de Dieu et de cette morale qu'il qualifie de « dégoûtante chimère ». Il est pourtant difficile de croire que sodomisant les fillettes il n'a d'autre obsession que la métaphysique. Quant à ses victimes, on peut douter qu'elles aient conscience de participer à des rituels blasphématoires. Sans doute ne s'agit-il à leurs yeux que de parties de jambes en l'air.

Mais au château le maître n'est pas le seul débauché. La Gothon est la maîtresse attitrée du valet Carteron. De son côté, Jean Saint-Louis, l'homme à tout faire, prend du bon temps avec Nanon, tandis que le jeune secrétaire, André, se déniaise avec Madelon qui lui donne sa vérole. Bref, le château vit dans le stupre.

Seule Renée Pélagie est épargnée. Elle s'occupe dans la journée de la distribution des tâches domestiques, s'inquiète de l'approvisionnement en nourriture et des commandes de matériel – une serrure neuve, un licol pour l'âne, une pièce de coutil pour refaire un matelas, des vitres pour remplacer des

carreaux cassés. Liée au marquis par une tacite conni-
vence, elle s'abstient de toute remarque touchant à
ses plaisirs nocturnes. Cela ne l'empêche pas de se
préoccuper de la tournure prise par les événements,
surtout certain soir, après avoir entendu des cris
d'effroi provenant du cabinet. Le lendemain, il lui
faut se rendre à l'évidence lorsque trois des fillettes
viennent lui montrer leurs membres striés de coups
de fouet. Sur la peau de l'une d'elles apparaissent des
entailles sanglantes. À l'évidence, Sade a de nouveau
joué du canif, comme avec Rose Keller. La marquise
blêmit en se remémorant ce sinistre épisode qui a
conduit son mari au fort de Pierre-Encize.

Et puis l'affaire se complique. Par un message arrivant de Lyon, le marquis apprend que les parents de
certaines des filles, s'inquiétant soudain du sort de
leurs petites, à moins qu'ils n'aient été conseillés en
ce sens par quelque personne bienveillante et désin-
téressée, ont décidé de porter plainte pour enlève-
ment et séquestration. Branle-bas au château !
Comme à son habitude, Renée Pélagie ne s'attarde
pas en d'inutiles supputations. Il importe que les
familles ne découvrent pas les traces des sévices subis
par leurs enfants. La plus meurtrie des gamines est
donc expédiée de toute urgence à Saumane chez
l'abbé de Sade, mais ce dernier, soucieux de
préserver sa tranquillité, s'empresse de la faire hospi-
taliser à L'Isle-sur-la-Sorgue. Les autres filles seront
confiées à des couvents, sauf une que la marquise
garde auprès d'elle et qui finira par s'évader.

Fidèle à sa méthode visant à tuer dans l'œuf toutes
les péripéties susceptibles de nuire à son époux, la
marquise prend le coche à destination de Lyon. Trop

tard : la procédure est déjà engagée. Elle alerte alors sa mère. Elle connaît, et pour cause, les relations étroites et efficaces que la Présidente entretient dans les hautes sphères de la police du royaume. Toujours prompte à sauver la réputation familiale que son gendre s'ingénie à compromettre, madame de Montreuil intervient auprès du procureur royal de Lyon, puis elle écrit à Gaufridy, qu'elle ne connaît pas, pour lui indiquer la marche à suivre. Docile, le notaire appliquera ses instructions à la lettre.

Une seule mère, une certaine Lagrange, se présente à La Coste pour y réclamer sa fille. Gaufridy parvient à l'éconduire sans qu'elle ait vu son enfant en l'étourdissant de bonnes paroles accompagnées de quelques hardes en guise de cadeau. Aucune autre famille ne se montre. L'affaire en reste donc là et la procédure criminelle est abandonnée.

Impavide, le marquis ne se sera même pas donné la peine de bouger le petit doigt pour tenter d'enrayer ce nouveau scandale. Privé de ses « poulettes », il se console avec Nanon et Gothon qui l'aident à supporter les rigueurs de l'hiver. Mais bientôt les formes onduleuses de Nanon prennent une ampleur de plus en plus généreuse, évoquant les molles rondeurs des personnages de Fragonard. En l'occurrence, il ne s'agit pas d'embonpoint mais tout simplement de grossesse. La servante accouche le 11 mai 1774 d'une fille qui est prénommée Anne Élisabeth. La paternité en est officiellement attribuée à Barthélemy, le mari de Nanon, mais selon une rumeur insistante c'est Sade le père. Cela suppose que la mère ait été engrossée par lui peu après leur rencontre à Lyon en septembre 1774, alors que lui-même y recrutait de la chair fraîche. Encore cela impliquerait-il un accouchement prématuré à huit mois de grossesse. Neuf mois auparavant, en effet, Sade était encore en Italie. Bref, la paternité du marquis n'est pas absolument démontrée. Il pourrait s'agir d'un chantage imaginé par Nanon pour se faire entretenir ainsi que son enfant.

La fureur avec laquelle réagit Renée Pélagie accrédite cette hypothèse. Elle habituellement si patiente, tellement tolérante, et ce jusqu'à l'abnégation, va se déchaîner contre Nanon. Elle commence par expédier la petite Anne Élisabeth en nourrice dans une famille de La Coste. Mais la mère se fâche et, après une violente altercation avec la marquise, s'enfuit du château, menaçant d'aller tout raconter de ces débauches qu'elle connaît d'autant mieux qu'elle en a été l'une des instigatrices. Sa maîtresse s'affole et improvise une lamentable mise en scène : elle porte plainte contre Nanon qu'elle accuse, tout à fait injustement, de lui avoir volé des couverts en argent. Vain stratagème. L'autre a pris le large et reste apparemment insaisissable. Mais dans les premiers jours de juillet 1775 la lettre de cachet dont elle fait l'objet arrive sur le bureau de la maréchaussée. Nanon est bientôt arrêtée et emprisonnée à Arles. Elle ne reverra jamais sa petite fille qui, faute de soins, mourra à La Coste à l'âge de deux mois et demi.

Consternant bilan que celui de ce démoniaque séjour au château : dix mois d'un effarant délire, digne des romans noirs d'Horace Walpole, l'ami de la marquise du Deffand. C'est à lui que cette dame avait envoyé le récit de l'affaire Keller en avril 1768, connaissant son intérêt pour les personnages sulfureux. Il n'avait pas fini d'être surpris.

Malgré l'emprisonnement de Nanon et l'éparpillement des fillettes, les langues se sont complaisamment déliées pour commenter l'infernal hiver de La Coste. Donatien et Renée Pélagie ne ménagent pourtant pas leurs efforts pour tenter de faire taire les bavardages. À la fin de juin 1775, le marquis prie Gaufridy de le débarrasser de Jean Saint-Louis, l'homme à tout faire mais aussi l'homme à tout dire. « Ne me demandez pour lui ni grâce ni pardon, insiste Sade. Il a eu une conduite affreuse dans toute cette affaire, n'ayant cessé d'épauler et de soutenir cette fille [Nanon], et cela jusqu'à l'impertinence. […] Il a passé par-dessus les murs, s'est soûlé, a juré, pesté, envoyé au diable maître et valet. » Le voici donc à jamais chassé.

Il reste encore une démarche à accomplir pour délivrer le château des démons qui l'ont hanté pendant ces mois de folie. En l'occurrence, elle vise celui qui semble être un bon petit diable mais dont le rôle, au cours du sabbat sadien de La Coste, n'a jamais été bien éclairci. André, le jeune secrétaire, en a-t-il été l'un des acteurs, la victime ou le simple témoin ? On l'ignore. Peut-être la vérole qu'il tenait de la Madelon lui a-t-elle épargné d'autres outrages. Toujours est-il qu'à la fin de juin Renée Pélagie loue une voiture et deux chevaux afin de se rendre à Aix où André sera remis à mère. On n'entendra plus jamais parler de lui.

Le marquis et la marquise de Sade sont-ils assez naïfs pour croire qu'ils sont parvenus à museler les étranges personnages qu'ils avaient recrutés à Lyon en septembre 1774 ? Suffisait-il pour cela de les disperser ? Bien au contraire. Éloignées de La Coste, les anciennes « pensionnaires » du château vont donner libre cours à leurs bavardages, relayés par des auditoires qui s'empressent de les colporter. Rien d'étonnant, donc, à ce que les échos des turpitudes sadiennes parviennent aux oreilles très intéressées du procureur de Lyon et du président du parlement de Provence.

Voilà qui n'est pas pour arranger les affaires de Donatien. Craignant d'être surpris par une nouvelle visite des gendarmes et, sans doute aussi, désireux de vivre librement de nouvelles aventures, il quitte La Coste à la mi-juillet 1775, accompagné de La Jeunesse, pour rallier sa chère Italie. Il est peu chargé de bagages, encore moins de scrupules. C'est l'esprit léger qu'il abandonne Renée Pélagie.

Pauvre marquise ! Par quel obscur sens du sacrifice reste-t-elle au château ? Pourquoi ne part-elle pas pour Paris ou Échauffour afin d'y retrouver ses enfants ? À l'opposé de son époux, cet obsédé du plaisir, elle est esclave du devoir. Si elle demeure en Provence, c'est pour pouvoir se rendre à Aix plusieurs fois par mois avec l'espoir d'y faire progresser la demande de révision du procès qui a conduit à la condamnation de Donatien. Elle insiste, argumente auprès du procureur général. La réponse est toujours la même : le contumax ne peut être rejugé que s'il comparaît devant la cour. Redoutable préalable qui contraindrait Sade à se constituer prisonnier, ce qu'il a toujours refusé.

Cette fois encore, dès qu'il a franchi la frontière, il jouit de sa liberté oisive, s'adonne aux mondanités à

Florence, Rome et Naples, prenant des notes qui étayeront son *Voyage d'Italie*, jouant les jolis cœurs auprès des dames, conversant avec le cardinal de Bernis, ambassadeur de France à Rome et fieffé débauché. Pendant ce temps, Renée Pélagie, elle, sombre à La Coste dans le dénuement et la détresse. Ayant expédié à son mari l'argent qu'il lui demandait, elle est tragiquement démunie de ressources. Pouvant difficilement nourrir ses serviteurs, et encore moins les payer, elle en est réduite à subir leurs injures, et parfois même leurs menaces. Étant presque tous originaires du village, ces domestiques sont majoritairement protestants, ce qui n'est pas sans provoquer des tensions avec cette fervente catholique qu'est leur châtelaine. Elle ne tardera pas à être accusée par ses gens de faire obstacle à l'accomplissement de leurs devoirs religieux.

Sous les coups du sort, elle en arrive à se croire définitivement abandonnée par la grâce divine. L'une des fillettes de Lyon, qu'elle a gardée auprès d'elle, une certaine Marie, tombe gravement malade. Appelé à son chevet, le médecin est impuissant à la guérir. Au matin elle ne se réveillera pas. Puis c'est la fidèle Gothon qui à son tour est frappée par une forte fièvre. On redoute le pire. Craignant une maladie contagieuse, on l'isole sans trop de ménagements. Elle ne devra qu'à sa robuste constitution de se remettre de sa maladie, pratiquement seule et sans soins. Ébranlée par ces épreuves, Renée Pélagie ne peut même plus compter sur l'aide de l'abbé de Sade. Celui-ci s'est définitivement désolidarisé de son neveu, auquel il reproche de ne pas s'être rendu à ses juges. Du coup, c'est la rupture entre Saumane et La Coste.

La marquise s'est considérablement endurcie à l'égard de son entourage. Elle est moins charitable qu'elle ne l'était naguère, et presque indifférente au sort de ses enfants dont elle a peu de nouvelles. Lorsque son esprit s'évade, c'est vers Donatien que s'envolent ses rêveries. Elle semble ne vivre que dans l'attente de son retour, partagée entre inquiétude et espoir, laissant de vagues idées lui envahir l'esprit comme les ronces qui assiègent le château de La Coste.

Écrasée de tourments, elle l'est aussi de scrupules. La voici prise de remords à l'égard de sa mère, qu'elle a beaucoup sollicitée et mal remerciée. C'est pourtant bien la Présidente qui l'a très vigoureusement assistée lors de l'affaire des fillettes de Lyon ; c'est elle qui envoie de l'argent dans les périodes de détresse. C'est madame de Montreuil toujours qui a permis d'éloigner Nanon ; c'est elle encore qui s'active pour obtenir la cassation du jugement qui a condamné son gendre ; c'est elle enfin qui a la garde des enfants.

En guise de remerciement, Renée Pélagie lui envoie un modeste colis d'huile et de truffes, sachant que sa gratitude s'exprimera avec plus de sincérité par le court message qui accompagne le paquet et qu'elle signe en ces termes : « Votre fille soumise. » Nous voilà bien loin de la « requête » que la marquise, en mars 1774, adressait au procureur du Châtelet pour accuser sa mère de tous les malheurs subis par Sade. À quel degré de découragement faut-il qu'elle soit tombée pour en arriver à l'aveu de sa soumission ! Et quelle funeste erreur de sa part : la Présidente va désormais considérer que toutes ses décisions, tous ses actes bénéficieront de l'approbation inconditionnelle de sa fille.

Le désespoir dans lequel a sombré Renée Pélagie ne lui permet pas de voir si loin. Les mois qui passent sont pour elle un véritable calvaire. Seule l'extraordinaire passion qu'elle éprouve pour son mari lui donne la force de survivre. Le bonheur revient avec l'été 1776 : à la fin de juin, Sade rentre au bercail, radieux, aussi détendu que s'il n'avait rien à se reprocher, comme s'il avait oublié les menaces qui pèsent sur lui. Il comble sa femme d'attentions aimantes auxquelles il ne l'avait pas accoutumée. Plus de frasques, plus de filles, une sage retraite dans son cabinet, non plus pour la bagatelle mais pour l'écriture – il entreprend la rédaction de son *Voyage d'Italie* –, point d'autres plaisirs charnels que ceux qu'il partage avec son épouse. Celle-ci, sous l'effet d'une telle renaissance, retrouve la féminité que lui avait fait perdre sa rustique solitude.

Mais le marquis n'est pas homme à se complaire dans cette félicité ronronnante favorisée par les chaleurs de l'été. L'automne l'incite bien vite à changer d'air. À la mi-octobre, invoquant la nécessité de recruter du personnel, il part seul pour Montpellier. Il y retrouve une ancienne servante du château, Rosette, qui avait pris part aux bacchanales de l'hiver 1774-1775. Elle accepte volontiers de le guider dans son choix de nouvelles domestiques et lui propose d'abord une jeune fille nommée Adélaïde, que Sade rebaptise Justine et qui prend bientôt le chemin de La Coste. Puis il embauche une cuisinière, Catherine Treillet.

Voyant arriver ces filles au château, Renée Pélagie ne se fait aucune illusion quant au sort qui leur sera réservé. Ce n'est pas cela qui l'inquiète mais bien plutôt les frais supplémentaires que vont occasionner ces bouches à nourrir alors même que le cellier est pratiquement vide. Et voilà que le marquis, pris d'un frénétique besoin de domesticité, recrute encore une cuisinière, une chambrière, un secrétaire et un perruquier ! Il est tellement émoustillé par ses recrues que le soir même de leur arrivée à La Coste il se lève la nuit et se glisse dans leurs chambres afin de solliciter leurs bonnes grâces. Il ne réussit qu'à provoquer un beau chahut qui précipite tout le monde dans les galeries, en chemise et la chandelle à la main. Cette scène cocasse de comédie italienne n'amuse personne. Le lendemain matin, les nouveaux venus décident de ne pas rester une heure de plus dans la demeure d'un tel satyre. Seules demeurent à La Coste les embauchées de la précédente fournée : Adélaïde, alias Justine, et Catherine Treillet.

Bien évidemment, sitôt de retour à Montpellier, les jeunes domestiques, qui pendant le voyage se sont excités en élaborant des plans de vengeance contre le marquis, se répandent en propos véhéments pour raconter leur mésaventure. Les échos en parviennent aux oreilles de Treillet, dont l'atelier de tisserand jouxte la place du marché, un lieu où les nouvelles circulent vite. Il décide aussitôt d'aller rechercher sa fille à La Coste.

Deux jours plus tard, le 17 janvier 1777 en début d'après-midi, il arrive au château. Les propos qu'il échange avec Sade sont, semble-t-il, assez vifs. Le maître des lieux envoie chercher Catherine, qui se précipite au cou de son père, puis, agacé par ces effusions, il met le visiteur à la porte en l'injuriant. Furieux, comme on peut le comprendre, Treillet sort alors un pistolet de son manteau et tire sur le châtelain à bout portant. Heureusement, le coup fait long feu : l'autre n'est même pas blessé. Bizarrement, c'est Treillet et non pas le marquis qui porte plainte. Une telle démarche est beaucoup plus redoutable qu'un coup de pistolet. En effet, la plainte est déposée à Aix, la ville même où Donatien a été condamné à mort puis exécuté en effigie.

Ce dernier va-t-il encore s'enfuir en Italie, son habituelle terre d'asile ? Non. Des faits nouveaux l'en empêchent. Il a appris que sa mère, la comtesse douairière Marie Éléonore de Sade, née Maillé de Carman, était gravement malade. Il décide donc de se rendre rapidement à son chevet, à Paris, tout en sachant qu'il risque ainsi de se jeter dans la gueule du loup.

Le 28 janvier, les bagages sont rapidement bouclés et chargés dans deux voitures. Renée Pélagie et son époux sont accompagnés par La Jeunesse et Catherine Treillet. En cette période hivernale, les routes sont exécrables, embourbées, creusées d'ornières, souvent enneigées. C'est à l'issue d'un trajet épuisant que les voyageurs arrivent enfin à Paris le 8 février. Ils se rendent aussitôt au couvent des Carmélites où réside la comtesse de Sade. Son fils y apprend qu'elle est morte le 14 janvier. Il en est profondément affecté mais n'aura guère le temps de s'épancher.

Le couple n'ayant aucune envie de séjourner chez

les Montreuil, ils s'en vont loger à l'hôtel de Danemark, rue Jacob. C'est là, au soir du 13 février, que l'inspecteur Marais, accompagné de deux exempts, présente au marquis une lettre de cachet et lui signifie qu'il est en état d'arrestation.

Vieille connaissance que ce Louis Marais. C'est sous sa garde que Sade avait été conduit à Vincennes à la suite de l'affaire Testard. Marais, encore lui, avait accompagné Donatien à Échauffour où celui-ci avait été assigné en résidence surveillée. Marais, toujours, avait ordonné à la Brissault, célèbre mère maquerelle, de ne plus lui fournir de filles. Marais, l'inévitable, l'avait surveillé lors de ses liaisons avec la Beauvoisin puis la Beaupré. Marais, le flic des secrets d'alcôves, l'archétype du policier obstiné, est accroché aux basques du « divin marquis » comme le sera l'imaginaire Javert aux pas de Jean Valjean. Marais l'acharné conduit maintenant Sade au donjon de Vincennes où il est écroué. C'est sa cinquième incarcération en moins de quinze ans.

V

Fille contre mère

Sidérée par la soudaineté de l'événement, Renée Pélagie ne parvient pas à saisir la réalité de l'arrestation dont elle a été le témoin. Son premier réflexe est de se précipiter chez sa mère. Elle se fait conduire en fiacre à l'hôtel familial de la rue Neuve-Luxembourg où elle n'est pas retournée depuis trois ans. Malgré l'heure tardive, madame de Montreuil ne s'est pas encore retirée dans sa chambre. Peut-être s'attendait-elle à la visite de sa fille. Celle-ci, retenant difficilement ses larmes, ne lui cache pas qu'elle la croit responsable de l'incarcération de Donatien, ce que nie fermement la Présidente, protestant de son innocence et s'insurgeant contre une telle calomnie. Évidemment, elle ignore ou feint d'ignorer le lieu où son gendre a été incarcéré. Il se peut qu'elle dise vrai, mais sa fille repartira avec la nette impression que sa mère n'est pas vraiment parvenue à simuler la surprise en apprenant l'arrestation de Sade.

Au petit matin, la marquise, qui n'a pu fermer l'œil

de la nuit, se dit que son époux est sûrement enfermé à la Bastille. Elle va rôder autour de la forteresse en espérant glaner quelque renseignement. En vain. « Pour moi, le coup m'a si étourdie, si abasourdie, qu'en vérité je ne sais où j'en suis encore, écrit-elle à Gaufridy. L'on me fait espérer que, sous peu, je saurai où il est. Je le soupçonne d'être à la Bastille. Les ponts y sont toujours levés et les gardes m'empêchent de regarder et de m'arrêter. »

Plus de trois semaines d'anxiété vont s'écouler avant qu'elle n'apprenne, par une lettre du marquis, que ce dernier est enfermé au donjon de Vincennes. Il y est mis au secret – « le superlatif de l'emprisonnement », comme dira plus tard Balzac. Aucun contact, aucune parole échangée avec qui que ce soit, pas même avec ses gardiens. Condamné au silence, le prisonnier sent sa raison défaillir. Désespéré, il a même envisagé de se suicider en se fracassant la tête contre la muraille. On lui a finalement accordé l'autorisation d'écrire à sa femme. De son côté, madame de Sade va pouvoir lui adresser quelques courts billets. Évidemment, cet échange de courrier est sévèrement contrôlé par la censure.

Renée Pélagie s'est à nouveau investie dans ce rôle d'épouse héroïque qu'elle ne connaît que trop bien. Soucieuse de s'y consacrer exclusivement, sans autre contrainte, elle s'est installée dans l'atmosphère austère du couvent des Carmélites de la rue d'Enfer, près du Val-de-Grâce, dans les lieux mêmes qui ont abrité sa belle-mère jusqu'à sa mort. Elle y est assistée par le domestique La Jeunesse et par une femme de chambre récemment embauchée, Agathe.

Cette dernière remplace Catherine Treillet, qui a préféré repartir pour Montpellier.

La marquise consacre ses journées à effectuer d'innombrables démarches, le plus souvent auprès du ministre de la Justice, dans l'espoir d'obtenir le droit de rendre visite à son mari. Tout aussi obstinément, on lui refuse cette autorisation.

Toujours suspicieuse quant au rôle que sa mère a pu jouer dans l'arrestation, elle a néanmoins décidé de faire la paix avec madame de Montreuil. Elle n'ignore pas que la Présidente entretient des relations avec des personnes influentes qui pourraient intervenir en faveur de Sade. Son attitude est purement diplomatique. Les confidences auxquelles elle se risque dans une lettre à Gaufridy sont à cet égard explicites : « Une fois sortie de ses pattes, écrit-elle à propos de sa mère, j'aimerais mieux labourer la terre que d'y retomber. » Un peu plus tard, le ton se durcira encore. Elle parlera de la « hyène » pour désigner sa chère maman, devenue son inflexible ennemie.

Les mois passent. L'isolement de Donatien ne connaît d'autre remède que l'écriture : des pages et des lettres, sur nul autre thème que lui-même, ses inquiétudes, ses rancunes, son désespoir. Il est dans la plus totale ignorance quant à la durée de son incarcération. Son épouse s'applique à l'encourager par ses réponses dans des missives plus navrantes que réconfortantes. La pauvre femme n'a évidemment pas le génie épistolaire de son mari. Il a beau jeu de ricaner à la lecture de certaines banalités qui lui sont insupportables et qu'il qualifie d'« imbécile jargon ». Par exemple, elle lui demande le 2 décembre 1777, tandis qu'il grelotte dans sa cellule : « Comment te trouves-tu de ces froids-là ? »

Renée Pélagie est plus loquace quand elle communique au détenu de véritables nouvelles. Ainsi, concernant leurs enfants qui sont totalement laissés aux soins de la Présidente : « Sur ta fille [Madeleine Laure, alors âgée de sept ans et demi], qui est au couvent, on ne peut encore rien décider, ni pour la figure ni pour le caractère. Elle est encore trop jeune. Elle est violente dans ses désirs. Pour ton fils [Louis Marie, l'aîné], il est doux comme un agneau et d'une vivacité singulière que l'on ne peut tempérer qu'en l'occupant, chose aisée parce qu'il veut tout savoir. [...] Le chevalier [Claude Armand, le cadet] est toujours poli et doux, [il a] moins d'aptitude pour l'étude. Il promet que cela viendra, si joliment qu'il y aurait de la cruauté à ne pas le croire. »

Il s'agit là d'une transcription corrigée de l'écriture de madame de Sade. En réalité, les originaux révèlent un total mépris de l'orthographe, certes assez courant à l'époque. Mais ils atteignent les sommets du genre, compliqués qu'ils sont par l'absence de ponctuation. Voici la conclusion d'une lettre de décembre 1777 : « Ces longueur me tue ôtant que toi. » Quant à la lettre du 4 janvier 1778, elle proclame : « Je t'assur mon tendre ami que je vien devoir finir lané passé san nul regret. [...] Il faut esperer que selci ne cera pas de même. »

Candide marquise ! Ses espoirs seront bientôt mis à rude épreuve. Madame de Montreuil est en train de tramer autour de son gendre une machination complexe dont elle n'a pas soufflé le moindre mot à sa fille. Mue par son obsession à vouloir rétablir l'honorabilité de la famille, la Présidente, par l'intermédiaire d'un avocat nommé Bontoux, a d'abord suggéré à Donatien de se faire passer pour fou afin d'obtenir la révision de son procès. Cette idée saugrenue n'a eu pour effet que de provoquer la fureur du prisonnier.

Bontoux ne se décourage pas pour autant. Il propose au marquis de se pourvoir en cassation contre la condamnation du parlement de Provence. Sade se laisserait bien tenter par cette idée, mais il redoute un complot qui, sous prétexte de vouloir le libérer, aurait en réalité pour but de le laisser se morfondre à jamais dans un cul-de-basse-fosse. À dire vrai, il se demande même si sa belle-mère ne projette pas de le faire sortir de Vincennes afin de le faire assassiner pendant son transfert à Aix. Voilà qui explique les exigences qu'il formule avant de se décider, en particulier sa volonté d'être accompagné pendant ce long voyage non pas par de vagues sbires mais par l'inspecteur Marais en personne. Enfin, pour plus de sûreté, voulant compter sur un témoin vigilant, il demande que son épouse soit à ses côtés tout au long du trajet.

Étrange naïveté de la part de Donatien, qui s'imagine avoir conservé suffisamment d'autorité pour formuler des exigences. Si Louis Marais est effectivement désigné pour le surveiller pendant son transfert, ce n'est pas pour céder à son caprice mais parce qu'il est jugé plus sûr que n'importe quel autre policier. Quant à Renée Pélagie, elle ne sera pas même avertie du départ de son mari. Le 14 juin 1778, dans le coche qui quitte le donjon de Vincennes à destination de la Provence, le prisonnier est étroitement encadré par quatre gardiens : Marais, son frère et deux exempts bien armés.

Une semaine plus tard, les portes de la prison d'Aix se referment sur l'homme qui, six ans auparavant, a été pendu et brûlé en effigie à quelques mètres de là. D'aucuns, à sa place, craindraient qu'un nouveau procès s'ouvrant dans les mêmes lieux pour juger les mêmes faits ne leur fasse bientôt ressentir le mortel frottement de la corde autour de leur cou. Or le marquis est parfaitement serein, détendu même. Assez folâtre pour tenter de nouer une amourette avec une jeune voisine de cellule.

Il est vrai que les temps ont changé depuis 1772. Les juges jadis inféodés à Maupeou, le ministre détesté, ont été renvoyés par Louis XVI. Les nouveaux magistrats, sensibles aux pressions aristocratiques, sont enclins à plus d'indulgence. En outre, c'est l'alliance de deux nobles familles qui pèse sur le parlement de Provence pour obtenir la cassation du jugement qui a condamné Sade au gibet. Aux Montreuil se sont ajoutés les Sade ; le commandeur Richard de Sade, grand prieur de Toulouse, oncle de Donatien, a jeté son autorité dans la balance afin de sauvegarder l'honneur familial.

Pour faire bonne mesure, les Montreuil, par l'intermédiaire de Gaufridy, subornent les prostituées de Marseille afin qu'elles édulcorent leur déposition devant la cour. Habile machination à laquelle on a pris bien soin de ne pas associer Renée Pélagie. Non qu'elle n'ait déjà elle-même donné les preuves de son efficacité ; elle a été la première à acheter les témoignages des catins marseillaises. Mais on ne saurait oublier qu'elle a aussi eu l'idée intempestive de manigancer deux plans d'évasion du marquis, dont un à Aix. Aussi, m'étant tenue au courant de rien, continue-t-elle d'adresser des lettres au donjon de Vincennes, non sans s'inquiéter de ne recevoir aucune réponse.

C'est seulement à la mi-juillet que la Présidente daigne informer sa fille de tous les faits qui lui ont été cachés : le transfert de Sade effectué un mois plus tôt, le procès qui s'est ouvert à Aix le 22 juin, le jugement rendu le 14 juillet, qui se contente d'admonester l'accusé pour « débauche et libertinage outré ». Bref, Donatien, quasiment réhabilité, n'a été condamné qu'à trois ans d'interdiction de séjour à Marseille et à une amende symbolique. Toutefois, cette clémence ne le dispense pas d'être reconduit à Vincennes pour continuer d'y purger la peine consécutive à l'arrestation du 13 février 1777.

Madame de Montreuil, cynique, ne cherche pas à cacher à sa fille l'intense satisfaction que lui inspire la situation. Voir son gendre lavé des accusations d'empoisonnement et de sodomie qui menaçaient de déshonorer son nom et le savoir néanmoins hors d'état de nuire au fond d'une prison, voilà qui la comble d'aise. Révoltée par l'impudence de sa mère, Renée Pélagie, folle de rage, éprouve l'enivrante jouissance de la vengeance lorsque, quelques jours plus tard, les deux femmes apprennent que Sade s'est évadé pendant le voyage de retour, au nez et à la barbe de l'inspecteur Marais.

C'est à Valence, le 16 juillet, qu'il a accompli cet exploit avec le panache d'un Gil Blas de Santillane. Bousculant l'argousin qui l'avait conduit aux commodités de l'auberge où l'on s'était arrêté, il s'est enfui en sautant en pleine nuit d'un escalier à l'autre et a réussi à échapper à ses poursuivants. Parvenu au bord du Rhône, il a emprunté une barque pour descendre jusqu'en Avignon, la chemise au vent, ivre de liberté. Il gagne alors La Coste où il découvre avec bonheur la présence d'une nouvelle gouvernante, Marie Dorothée de Rousset, à laquelle Renée Pélagie a confié la garde du château. Séduit par le charme et la fantaisie de cette jeune femme, il la surnomme affectueusement « Milli », non sans tenter de la soumettre à son insatiable désir. Mais ladite Milli saura fort intelligemment s'en tenir aux plaisirs de l'amitié.

À quelque temps de là, le marquis reçoit un attendrissant billet de sa femme qui vient d'apprendre à la fois son évasion et sa présence à La Coste : « Crois-tu que je t'aime, mon bon petit ami que j'adore mille fois ? Aie bien soin de ta santé, ne te laisse manquer de rien. Fais-moi écrire des lettres qui ne soient pas de ton écriture, et dans les entrelignes […] tu m'écriras avec le secret. Je ferai de même. » Le couple doit aux précédentes incarcérations de Sade l'usage d'une écriture à l'encre sympathique – en fait du lait – pouvant échapper aux lectures indiscrètes et à la censure. Il suffit au destinataire du message de l'exposer à la flamme d'une bougie pour que le texte secret devienne lisible sous l'effet de la chaleur. Confidentialité illusoire : les « lettres au lait » sont déchiffrables par le premier policier venu, mais elles excitent les émotions amoureuses.

Émoustillé par les inaccessibles attraits de Milli, Donatien en appelle à Renée Pélagie, que dans l'intimité il nomme sa « petite poularde ». Comment la marquise ne se pâmerait-elle pas sous l'effet d'une telle hâte ? Elle se prépare donc à partir pour La Coste, déclenchant aussitôt la fureur de sa mère qui prétend la faire arrêter si elle met son projet à exécution. Ce n'est pas cette menace qui altère la volonté de Renée Pélagie. Celle-ci se doute bien que madame de Montreuil ne commettra pas la folie de déshonorer sa famille en faisant jeter sa fille en prison. Le chantage de la Présidente est beaucoup plus machiavélique. Il vise à rendre madame de Sade responsable de l'arrestation de son mari si, d'aventure, sa mère demandait à la police d'aller la chercher à La Coste. Affolée par cette perspective, la marquise va renoncer à son projet. Pour protéger Donatien, elle restera à Paris.

Pour autant, l'évadé sait bien que sa propre sécurité est fortement menacée. Voici plus d'un mois qu'il a faussé compagnie à l'inspecteur Marais et il n'est pas besoin d'être grand clerc pour comprendre que ce dernier, bafoué dans sa fierté policière, s'est juré de récupérer son prisonnier. Devinant qu'il y a de fortes probabilités pour que celui-ci se soit réfugié à La Coste, il a discrètement expédié là-bas un de ses hommes qui, après enquête, lui a confirmé la présence du marquis au château. Mais Louis Marais ne se presse pas pour agir car il sait que sa proie est sur ses gardes. Il laisse donc patiemment s'écouler les jours afin de pouvoir intervenir par surprise.

C'est ce qui se passe au petit matin du 26 août, alors qu'il fait encore nuit. Un véritable commando d'une dizaine d'hommes enfonce à coups de hache la porte basse de la forteresse des Sade. Réveillés en sursaut par ce tapage, tous les membres de la maisonnée se précipitent en chemise dans les couloirs en poussant des hurlements. Le châtelain, lui, monte en toute hâte au deuxième étage et se cache dans une chambre de domestique où il est bientôt débusqué ; il est tiré hors du lieu, une épée pointée sur le ventre, le canon d'un pistolet appuyé sur le front. Marais, ivre de rage, le secoue, l'injurie en termes orduriers, le fait ligoter puis traîner brutalement jusqu'à une voiture dont les chevaux sont aussitôt fouettés direction Paris. Une halte est prévue à Lyon. Cette fois, toutes les précautions sont prises afin de prévenir chez le précieux détenu toute velléité d'évasion.

Le 7 septembre 1778, à l'issue d'un long et éprouvant voyage, Sade entend se refermer sur lui la lourde porte de sa cellule dans le donjon de Vincennes. Il rédige alors une lettre-fleuve dans laquelle il décrit à sa femme les circonstances de son arrestation et l'amertume qu'il en ressent : « Après m'être plu à répandre dans le public que tout était fini, que, mon jugement rendu, toute punition qui aurait suivi n'aurait pu être que la punition d'un crime, et que sûrement il n'y en aurait ni ne pourrait y en avoir, puisqu'il venait d'être constaté que le crime était nul. Après tout cela, dis-je, se voir arrêter chez soi avec une rage, un acharnement, une brutalité, une insolence qui ne s'emploieraient pas avec le dernier des scélérats de la lie du peuple... Que diront pour leur justification ceux qui osent abuser de tous les droits de l'humanité pour me traiter ainsi ? »

Sans doute la violence exercée contre lui par l'inspecteur est-elle due à la rancune que lui a inspirée l'évasion de son prisonnier. Le comportement de Louis Marais, que l'on qualifierait aujourd'hui de bavure policière, ne lui vaut d'ailleurs pas seulement les plaintes de Donatien. Il est sanctionné par ses supérieurs, cassé de son grade, et les frais qu'il a engagés pour la capture de Sade ne lui seront pas remboursés.

Cela ne console pas la marquise. Effondrée en apprenant l'arrestation de son époux, voici qu'elle éprouve une nouvelle bouffée de haine à l'encontre de sa mère. « Mon Dieu ! confie-t-elle dans une lettre à Milli de Rousset. Quel coup pour moi ! Dans quel abîme de douleur me voici replongée ! Comment en sortir, à qui se fier, quoi croire ? Il m'est absolument impossible, sur tout ce que l'on m'a dit et sur tout ce que l'on m'a fait, d'asseoir un jugement et une solution. [...] Si vous avez écrit à ma mère le détail [de l'arrestation de Sade], vous avez très bien fait. Depuis cet événement, je ne la vois plus et lui ai juré par écrit une haine et vengeance éternelles si sous le terme de trois jours elle ne m'obtenait pas de rejoindre mon mari quelque part où elle le fait transférer. Je suis fatiguée d'être jouée par tout le monde depuis dix-huit mois. Les ministres sont de vraies murailles. L'on voudrait peut-être que je me contente de lui écrire de misérables billets ouverts par la police. Je ne veux plus retomber dans les mêmes inconvénients que par le passé, j'ai trop souffert. »

Se sentant trop esseulée pour surmonter sa détresse, Renée Pélagie supplie mademoiselle de Rousset de venir la rejoindre à Paris, au moins pour quelque temps. Milli, devançant l'invitation, a déjà pris ses dispositions pour entreprendre le voyage. Elle arrive dans la capitale au début de novembre et s'installe auprès de la marquise, au couvent des

Carmélites. La gouvernante trouve madame de Sade très affaiblie, négligée, pitoyable. Consacrant tout ce qui lui reste d'énergie à tenter de répondre aux exigences du prisonnier, elle semble avoir définitivement abandonné ses enfants à la Présidente. La petite Madeleine Laure est à Paris, dans l'hôtel de la rue Neuve-Luxembourg. Les deux garçons, Louis Marie et Claude Armand, ont été expédiés au manoir que les Montreuil possèdent à Vallery, près de Sens.

Mais ce qui plonge leur mère dans la plus profonde désolation, c'est la terrible injustice dont l'accable son époux dans ses lettres : « Je vous regarderai toute ma vie comme une femme sans cœur et sans sentiments » (4 octobre 1778). « Enfin, ma chère amie, il est donc décidé que jusqu'au dernier moment toutes tes lettres seront des coups de poignard pour moi ! [...] Mes plus grands tourments ne me sont venus que de toi. [...] C'est de toi que je reçois les maux les plus sensibles » (21 octobre 1778).

Ces reproches sont d'autant plus iniques que le marquis ne cesse par ailleurs de couvrir de louanges madame de Montreuil : « Qu'espère-t-on, sinon de me jeter dans le désespoir ? Ce n'est pas ta mère, j'en suis sûr à présent. Elle serait incapable de ce dernier degré d'horreur réfléchie... Dis mille et mille choses à ta mère, je t'en prie. Ne cesse de lui témoigner et mon attachement et mon respect. Je n'ose lui écrire puisqu'elle ne lit pas mes lettres, mais je regarderais cela comme une grande faveur et une grande consolation dans mes maux si tu pouvais l'attendrir sur cela et m'obtenir d'elle la permission de lui écrire » (21 octobre 1778).

On ne peut qu'être confondu par l'aveuglement du

prisonnier au regard des méfaits dont il n'a cessé d'être la victime de la part de la Présidente. C'est pourtant bien elle qui, lors de l'affaire Testard, en octobre 1763, a obtenu la lettre de cachet qui pour la première fois a fait enfermer son gendre au donjon de Vincennes. Cinq ans plus tard, en juin 1768, après le scandale d'Arcueil, madame de Montreuil a d'abord tenté d'étouffer l'affaire en soudoyant la veuve Keller. Mais par la suite, on s'en souvient, elle s'est bien gardée de faire intervenir ses relations pour tenter d'empêcher l'incarcération de Sade dans la lointaine forteresse de Pierre-Encize. Et en décembre 1772, n'est-ce pas encore elle qui, apprenant la présence du marquis à Chambéry, a intrigué auprès de l'ambassade de Piémont-Sardaigne pour le faire arrêter et enfermer à Miolans ? Enfin, en février 1777, quand il est arrivé à Paris où sa mère venait de mourir, à peine a-t-il posé ses bagages que l'inspecteur Marais lui a mis la main au collet pour le faire enfermer à Vincennes. La Présidente, qui n'a alors pas même eu la pudeur de cacher sa satisfaction, a eu bien du mal à ne pas apparaître comme l'instigatrice de cette nouvelle arrestation.

S'il existe une personne aux yeux de laquelle madame de Montreuil est incontestablement impliquée dans les incarcérations successives de son gendre, c'est bien mademoiselle de Rousset. On a vu comment cette jeune femme s'est comportée avec grâce et finesse face aux avances du marquis. Sa gaieté et son humour ont convaincu son « maître » de s'en tenir avec elle aux voluptés de l'esprit. Pendant toute la durée du séjour du fugitif sur ses terres, Milli a appris à apprécier l'intelligence, l'élégance du langage et la profonde sensibilité que ce diable de libertin cache sous son cynisme. Elle en a conçu une surprenante indulgence envers cet homme dont les frasques lui sont pourtant connues, comme elles le sont d'ailleurs de tous les habitants de La Coste. Sans doute a-t-elle aussi perçu les faiblesses du personnage. Elle blâme ceux qui s'acharnent à vouloir l'abattre, surtout après avoir été témoin des violences qui ont marqué l'arrestation de Sade lors de l'attaque nocturne opérée par Marais et ses sbires. Voilà pourquoi elle n'a pas hésité à anticiper l'appel de Renée Pélagie lorsque celle-ci lui a demandé de venir la rejoindre à Paris.

Bien décidée à aider le couple Sade et convaincue du rôle éminent joué par madame de Montreuil dans les mésaventures de Donatien, elle sollicite une rencontre avec elle. La Présidente la reçoit rue Neuve-Luxembourg. Affrontement à fleurets mouchetés. La belle-mère invoque les promesses que le gendre lui a faites de s'assagir. Mademoiselle du Rousset réplique en affirmant que les épreuves subies par le marquis ont forgé son caractère, qu'elles lui permettront à l'avenir de dominer ses faiblesses et qu'il convient donc de le faire libérer afin qu'il puisse mener une vie normale. En conclusion de son habile plaidoyer, elle estime que c'est aux Montreuil, grâce aux appuis dont ils disposent, qu'il revient de rendre la liberté à Donatien. La Présidente s'empresse de protester en se déclarant impuissante à agir en ce sens et rejette sur l'État la responsabilité des arrestations. Mais elle ne résiste pas au plaisir de les approuver : « Je crois que c'est une sage précaution contre les écarts par lesquels mon gendre s'est compromis si souvent. » Autrement dit, elle ne fera rien pour le faire sortir de prison.

Déçue de s'être heurtée à un mur, Milli décide de rester aux côtés de Renée Pélagie afin de l'assister dans le rôle éprouvant qu'elle doit assumer. L'incarcération du marquis se révèle particulièrement pénible. Du séjour en prison il connaît toutes les contraintes, humiliantes, avilissantes, abjectes. Il en subit toutes les souffrances. « Mes douleurs, écrit-il, sont au-delà de tout ce qu'on peut peindre. » Profondément déprimé, il lui arrive de souhaiter la mort : « Celui qui, comme moi, ne compte ses années que par ses malheurs ne doit regarder son anéantissement que comme l'instant heureux qui vient briser ses chaînes. »

Souffrant de toutes les parties de son corps, de tous ses organes, il accable son épouse d'innombrables exigences visant à compenser la médiocrité de son quotidien. Il lui réclame purges, infusions, onguents, sirops. Inlassablement docile, Renée Pélagie sait aussi faire preuve d'imagination, et même d'humour. Donatien ne cessant de se plaindre de ses hémorroïdes, elle lui fabrique de ses propres mains un coussin en forme de couronne qui évite de comprimer la zone critique – « pour soulager ton croupion », explique-t-elle. Toujours pratique, elle se soucie de la qualité de la pâte de coing et d'autres denrées qui se conservent mal à cause de l'humidité du cachot.

Malgré tout le zèle qu'elle déploie pour tenter de réduire les phases d'abattement ou de fureur qui ruinent le moral de son mari, elle ne peut répondre à la question qui obsède le prisonnier : pour combien de temps est-il condamné à moisir dans sa cellule ? « Horrible incertitude », gémit-il. Aucun jugement, aucune sentence n'en ont fixé le terme. Et pourtant, Sade est injustement convaincu que Renée Pélagie connaît ce qu'il appelle le « grand secret ». « Quelles raisons, encore un coup, peuvent s'opposer à ce que je le sache ? insiste-t-il. Il est impossible qu'il y en ait aucune que celle de votre affreuse et noire méchanceté. » On peut imaginer le désespoir dans lequel une telle accusation plonge la pauvre marquise.

Bouleversée par le drame auquel elle assiste chaque jour aux côtés de sa maîtresse dont elle est devenue la confidente, Milli de Rousset tente d'apaiser les rapports du couple. Elle aide madame de Sade à rassembler les vivres, livres, vêtements et babioles demandés par le marquis. Elle l'assiste dans les démarches tentées auprès de diverses personnalités dans l'espoir de le faire libérer. Et surtout, elle s'efforce, par sa bonne humeur, de la distraire de son pessimisme.

Concernant les relations épistolaires que Milli entretient par ailleurs avec le marquis, le ton est plus ambigu. Sous prétexte de badinage, c'est à un aimable flirt que se livrent les deux « amis ». Se moquant du mauvais caractère de Donatien, la jeune femme le traite de « fagot d'épines ». Il riposte en l'appelant « ma petite bête ». Tous deux font assaut d'humour et de marivaudage, s'écrivant souvent en provençal comme s'ils voulaient échapper à la censure de Renée Pélagie. C'est dans cette langue que mademoiselle du Rousset appelle le prisonnier « délices de mon âme » et qu'elle lui fait de tendres déclarations : « Quand pourrai-je m'asseoir sur tes genoux, te passer les bras autour du cou, t'embrasser à mon aise, te dire beaucoup de jolies choses à l'oreille, et si tu fais le sourd, mon cœur contre le tien, je te ferai bientôt sentir que j'ai une âme tendre et délicate. Adieu, mon cher et joli cœur, je t'embrasse de la manière que tu aimeras le plus. »

On imagine l'effet que peuvent produire de telles confidences sur les sens, terriblement frustrés, d'un homme enfermé dans un sinistre donjon. C'est en termes plus crus qu'il répond à l'aguichante Milli : « Pensez quelquefois à moi, quand vous êtes entre deux draps, les cuisses ouvertes et la main droite occupée à... chercher vos puces. Souvenez-vous que dans ce cas-là il faut que l'autre agisse aussi, sans cela on n'a que la moitié du plaisir. »

Les réactions de la marquise, témoin de ces échanges de coquineries, demeurent un mystère. C'est elle, affirme Milli, qui a insisté pour que sa confidente corresponde avec Sade : « Dites-lui quelque chose pour le faire rire, des gaudrioles, des fariboles, ce que vous voudrez. » Il est vrai que la passion qu'elle éprouve pour son mari est la marque d'une tolérance incommensurable, un cas exceptionnel d'amour oblatif, soucieuse qu'elle est, fût-ce à son propre détriment, de satisfaire les plaisirs de Donatien. Elle n'est d'ailleurs pas dupe. À la déclaration d'amour en provençal que mademoiselle du Rousset a adressée à son époux, la marquise a ajouté un post-scriptum : « Amusez-vous toujours de cette manière l'un et l'autre, pourvu que vous n'alliez pas plus loin. »

De fait, la joyeuse Marie Dorothée du Rousset en restera aux jeux de l'amour platonique. Souffrant de tuberculose, elle supporte mal le climat parisien. Malgré les soins dont l'entoure Renée Pélagie, il lui arrive de plus en plus fréquemment de cracher du sang. Aussi décide-t-elle bientôt de retourner en Provence. Elle mourra au château de La Coste en janvier 1784.

Se retrouvant seule, privée des conseils judicieux de Milli, madame de Sade continue néanmoins de frapper aux portes de diverses personnalités se flattant de fréquenter les allées du pouvoir. Elle espère rencontrer un courtisan qui l'aidera à faire libérer son Donatien. Démarche risquée : elle va devoir côtoyer ces « insectes de cour », décrits par le duc de Saint-Simon, « dont le manque de conséquence fait toute la consistance ». Sans parler des escrocs. L'un d'eux lui extorque six mille livres après lui avoir affirmé que le marquis quitterait Vincennes en moins d'une semaine. Il n'en sera évidemment rien.

Découragée, elle s'abandonne au désespoir, se néglige, grossit. « Je suis bien aise de t'apprendre que j'engraisse de façon que je meurs de peur de devenir une grosse coche. Quand tu me verras, tu seras surpris », écrit-elle à son mari. Le portrait qu'elle fait de sa fille n'est pas plus flatteur : « Oui, ta fille s'appelle Laure quoiqu'elle ne soutienne pas ce nom par sa beauté [allusion à la belle Laure de Noves]. J'imagine qu'en grandissant elle sera moins laide pour que ce nom n'ait l'air d'un persiflage. »

C'est devenu une habitude, de la part de Renée Pélagie, dans les lettres qu'elle adresse à Donatien, qu'il s'agisse d'elle-même, des enfants, de la famille, des gens dont elle parle, de ne jamais lui donner une image resplendissante des personnages, des lieux, des situations, comme si elle voulait lui épargner toute évocation heureuse du monde extérieur qui attristerait plus encore la vision que le prisonnier a de son propre univers.

Aux reproches injustes et aux sarcasmes qu'il lui adresse, elle répond sur un ton désarmant de patience et de bonté : « Bien loin d'avoir le désir de te faire enrager et de te rendre fou par mes lettres, je voudrais te calmer, te consoler et te convaincre que tu as le plus grand tort de te livrer à des idées noires, de t'inquiéter et de douter de moi qui voudrais au prix de mon sang t'éviter et abréger ta situation présente que je partage, je te jure, comme un second toi-même. »

Vaine mansuétude de la part de la marquise. Comment pourrait-elle compenser les terribles frustrations que subit son époux, en particulier sa grande misère sexuelle qu'il compense en solitaire de bien triste manière. C'est avec humour, pourtant, qu'il exprime à sa femme l'intensité de son désir : « J'ai une grande envie de te voir. Comme nous allons nous considérer tous deux, nous toiser, après une si longue absence ! Mais le diable, c'est que nous ne pourrons pas encore nous mesurer [charnellement]. Pourquoi pas ? À cause du bailli [le gouverneur du donjon] ! Eh bien ! le bailli, qu'est-ce que ça fait ? Il tiendra la chandelle. »

Privé d'échanges érotiques, Sade n'accueille pas toujours chaleureusement les déclarations d'amour de Renée Pélagie. Sauf en une occasion, le 14 décembre 1780, où il se laisse aller à un épanchement bien singulier : « Me voilà donc ramené à toi, ma chère amie, à toi que j'aimerai malgré tout comme la meilleure et la plus chère amie qui puisse avoir jamais existé pour moi dans le monde. » Un moment d'égarement, sans doute. Deux semaines plus tard, le 30 décembre, répondant à ces vœux de son épouse : « Oh ! je t'assure que la nouvelle année ne finira pas sans que j'aie le plaisir de t'embrasser », il l'injurie : « Voilà, madame, un échantillon de vos abominables mensonges. [...] En deux mots, vous êtes une imbécile qui vous laissez conduire par le bout du nez, et ceux qui vous mènent, des monstres qui mériteraient le gibet, et qui mieux est, d'y être attachés jusqu'à ce que les corbeaux les eussent dévorés. »

Cette fois encore, la marquise, blessée par la cruauté de l'outrage, s'effondre en larmes. Le prisonnier a touché un point sensible en lui reprochant d'être retombée sous l'influence de sa mère. Il est vrai que, isolée comme elle l'est depuis le départ de mademoiselle de Rousset, elle s'est rapprochée de la Présidente – d'une manière que Sade juge plus inopportune que jamais. Et pour cause. Après avoir chanté aveuglément les louanges de madame de Montreuil, il lui voue désormais une haine féroce. C'est à partir de mai 1779 que dans ses lettres à Renée Pélagie il donne à sa belle-mère divers noms peu amènes : « Votre exécrable mère », « l'exécrable créature », « votre épouvantable sorcière de mère », « ce monstre », « l'odieuse créature »... Autant d'injures gratuites et lâches, car c'est bien la fille de la Présidente qui les reçoit de plein fouet, évidemment sans les transmettre à leur véritable destinataire.

La voici donc insultée par procuration, en sus des attaques qui la visent personnellement. Blessée dans sa dignité et si dévouée soit-elle, elle décide de ne plus écrire à son mari, limitant ses envois aux vivres et aux objets utilitaires. Cette révolte muette va ébranler pour un temps la mâle assurance du marquis.

Le 27 juillet 1780, il fait amende honorable : « Eh bien ! Vous voilà dans votre grand silence. C'est bien fait, lui écrit-il. Il est bien juste de se reposer quelquefois sur ses lauriers. [...] Mes sentiments pour vous n'en seront jamais altérés. Ma portion de haine ne se divisera pas. [...] J'ai trop envie de la réserver tout entière à celle à laquelle elle est si bien due. »

S'il parle évidemment ici de sa belle-mère, il semble bien vouloir obtenir le pardon de Renée Pélagie. « Plus d'illusions, lui écrit-il quelques jours après son anniversaire, je les ai ces charmants quarante ans où j'ai toujours promis de renoncer à Satan et à ses pompes. Les voilà bien sonnés, et il est temps de commencer à prendre une petite teinte de cercueil. [...] Que l'amie chérie qui seule pourrait encore adoucir la fin de ma carrière ne me laisse pas la douleur de lui survivre, et que ces êtres infortunés qui nous doivent l'existence puissent l'avoir reçue plus heureuse que nous ! »

VI

Esclave et masochiste

Veuve ! Mieux vaudrait être veuve ! Lasse de solitude, physiquement séparée de son mari depuis bientôt quatre ans, Renée Pélagie se morfond dans une manière de veuvage. Cette fausse relation qui s'instaure par l'intermédiaire des lettres qu'elle échange avec Sade ressemble à s'y méprendre à l'accoutumance du deuil.

En outre, la marquise s'enlise dans ce dénuement morbide que lui fait éprouver le manque d'argent. Elle va bientôt devoir quitter le couvent des Carmélites, dont elle ne peut plus acquitter les frais de pension. Elle cherche un hébergement moins coûteux. Sa détresse est si flagrante qu'elle émeut les rares parentes avec lesquelles elle entretient encore de vagues relations. L'une d'elles, sa cousine, la marquise de Villette, lui propose de venir habiter chez elle. Mais Donatien, à qui elle fait part de ce projet, lui intime l'ordre de refuser cette offre en invoquant de façon absolument fallacieuse le

dévergondage de madame de Villette, qu'il traite de
« grande fouteuse ».

Indignée par l'invraisemblance du propos, Renée
Pélagie défend la réputation de sa cousine mais ne
s'en incline pas moins devant l'interdiction que lui
oppose son époux. Aussi entreprend-elle la recherche
d'un autre lieu d'accueil. Elle trouve un logis dans le
quartier du Marais, rue de la Marche. Le loyer y
étant encore trop cher, elle déménage bientôt pour la
rue du Temple, dans un appartement minuscule où
elle ne peut décemment pas cohabiter avec sa fille et
ses deux domestiques, Agathe et La Jeunesse. Sa
réputation sera moins malmenée si elle s'abrite dans
un couvent sans autre compagnie que celle de son
enfant, Madeleine Laure, alors âgée de dix ans.

Elle envisage d'abord de s'adresser au monastère
des Filles anglaises de la rue Chapon, mais finalement elle choisit de s'installer au couvent de Sainte-
Aure, rue Neuve-Sainte-Geneviève. Elle vivra là avec
sa fille pendant trois ans, très chichement, toutes
deux mal nourries et mal logées dans une cellule
minuscule et moins confortable, à vrai dire, que celle
de Sade au donjon de Vincennes. Ce choix n'est pas
fortuit. Il révèle de la part de la marquise une acceptation obstinée de la souffrance et de l'humiliation,
une attitude que par refus de la facilité on souhaite-
rait ne pas qualifier de masochisme. Mais pourquoi
nier l'évidence ? Renée Pélagie, depuis les premiers
scandales dont Donatien s'est rendu coupable,
aussitôt après son mariage, est devenue la victime
d'une propension au malheur. Elle l'assume coura-
geusement mais sans héroïsme, avec pudeur.

Or voici qu'un nouveau drame vient la frapper. Le

13 mai 1781, sa sœur Anne Prospère, à peine âgée de trente ans, meurt brutalement d'une complication de la petite vérole. Madame de Sade, qui n'avait manifesté aucune rancune après la double trahison du marquis et de la chanoinesse à son égard neuf ans auparavant, cachera à son mari la disparition de la plus aimée de ses amantes, par compassion, afin de lui épargner un chagrin que le poids des souvenirs rendrait affreusement douloureux.

L'humeur du prisonnier n'est pourtant pas toujours à la morosité. Frustré de liberté, privé d'échanges érotiques, il se livre aux plaisirs solitaires. Il déploie dans ces exercices une imagination qui révèle l'exceptionnelle exigence de ses pulsions, utilisant pour se sodomiser des objets variés tels que des flacons de verre ou des étuis de bois lisse, ces derniers étant initialement destinés à contenir des estampes roulées. C'est sa bonne épouse qui pourvoit à la fourniture de ce petit matériel hédoniste. Et avec quelle complaisance ! En témoigne le message qu'elle adresse à Donatien le 29 juin, en termes codés afin de ne pas révéler aux censeurs de Vincennes les étranges pratiques de leur captif : « Ton flacon est commandé. Je ne puis concevoir que tu puisses mettre dans ta poche un flacon de six pouces de circonférence et huit pouces de haut. » Le destinataire de cette lettre inscrit dans la marge ce commentaire explicite : « Ce n'est pas dans ma poche que je le mets, c'est ailleurs, où il se trouve encore trop petit. »

Si appliquée soit-elle à vouloir satisfaire les scabreux caprices de son mari, Renée Pélagie est bien embarrassée lorsqu'il lui faut expliquer à ses fournisseurs, goguenards, les dimensions très précises des objets qu'il lui réclame. De ces exigences elle ne peut évidemment pas expliquer les motifs. « Pour l'étui, écrit-elle à Sade, je ne sais où aller le commander car les ouvriers me prennent pour une folle quand je leur parle d'étui de cette grandeur. L'on me rit au nez et on ne le fait pas. Éventuellement sur mesure, à condition de payer d'avance. »

Parfois, elle n'en peut plus de tenir ce rôle d'esclave au service d'un maître invisible qui la tyrannise en lui ordonnant, du haut de son donjon, d'invraisemblables missions. Il n'est guère plus facile de faire parvenir au marquis les vêtements qu'il exige que de commander la fabrication des ustensiles destinés à ses fantaisies érotiques. Et que dire d'autres objets ou denrées qu'il juge indispensables à son confort ou à sa gourmandise : un coussin creux destiné à ménager ses hémorroïdes, un pot d'onguent « pour son croupion », des suppositoires au beurre de cacao, du saucisson provenant impérativement de Bologne, des plumes, du papier, sans oublier les listes de livres que sa femme doit toujours lui trouver de toute urgence sous peine d'être accablée d'injures. Et la voilà qui court à la recherche du *Paysan perverti*, de Restif de La Bretonne, ou de l'*Essai sur les règnes de Claude et de Néron*, de Diderot.

En retour, elle reçoit des liasses de manuscrits couverts de l'ardente écriture du détenu qui rédige inlassablement d'innombrables feuillets. Ce sera le cas pour le texte d'une comédie, *L'Inconstant*, que l'efficace La Jeunesse doit promptement recopier avec soin avant de le renvoyer à son maître, non sans que la marquise l'ait auparavant lu et commenté. Elle fait preuve dans cet exercice d'une grande fermeté de jugement car elle est très influencée par ses propres convictions religieuses et morales. D'ailleurs, Donatien ne manque pas de lui reprocher d'être « aveuglée par ses principes », ce dont elle se justifie sans complexes en lui répondant : « De quoi voulez-vous que l'on se serve pour juger un ouvrage qui est une production de l'esprit ? »

Ainsi, lorsque le marquis lui confiera plus tard les premiers brouillons de son roman *Aline et Valcour*, elle lui reprochera de traiter trop légèrement du divorce, de l'inceste et de la pédérastie. Prenant le parti de l'ordre et de l'autorité, elle écrira : « Ce n'est point les bourreaux et les prisons qui perpétuent les vices, ce sont les goûts et les penchants qui les y entraînent. » Comme on le verra à propos d'autres événements, la marquise, si indulgente par amour à l'égard des méfaits commis par son mari, est très fermement réactionnaire quand il s'agit de ses autres contemporains.

Sade n'en a, semble-t-il, que moins de scrupules à exiger d'elle toujours plus de dévouement. Superbement inconscient de sa propre ingratitude, il se préoccupe assez peu de l'état d'épuisement et d'indigence dans lequel se trouve sa femme. Tandis qu'il lui réclame un habit en tissu broché, elle vit comme une pauvresse, évitant d'exposer sa détresse aux yeux de sa mère, qu'elle voit le moins possible. Fatiguée, mal nourrie, elle souffre de rhumatismes aggravés par l'inconfort qu'elle subit dans son couvent où, faute de moyens, elle finira par se trouver reléguée au grenier.

Il lui faut pourtant sauver les apparences et tenter de faire bonne figure lorsqu'elle entreprend des démarches auprès de personnalités qui pourraient lui obtenir le droit de rendre visite au prisonnier. Elle en informe ce dernier, qui se réjouit à cette perspective : « Vous ne pouvez certainement rien me proposer de plus agréable. [...] Je vous exhorte vivement à remplir ce projet. » Et de lui suggérer : « Vous devriez, si vous obtenez cela, venir prendre une petite maison à Vincennes. » Se soucie-t-il enfin d'éviter à son épouse trop de fatigue en réduisant les déplacements qu'impliqueraient ses visites ? Pas du tout ! Ce rapprochement n'aurait d'autre objet que de mieux le servir : « De là, explique-t-il, vous pourriez très aisément m'envoyer tous les jours tout ce qu'il me faudrait. » Y a-t-il plus révoltant que l'égoïsme sadien ? Il en faut pourtant plus pour décourager la marquise. Grâce à son obstination, elle obtient enfin l'autorisation de rendre visite à son mari.

Le 13 juillet 1781, Renée Pélagie se présente le cœur battant au château de Vincennes. Il fait très chaud ce jour-là à Paris. La visiteuse s'est donc habillée légèrement. Elle a revêtu la tenue estivale la plus gaie qu'elle ait pu trouver dans sa garde-robe, non seulement pour plaire à Donatien, mais aussi pour lui cacher sa misère et ne pas l'inquiéter. Peut-être a-t-elle voulu en outre se rajeunir en laissant apparaître ses cheveux bouclés au lieu de les tenir enfermés sous un bonnet.

Voilà près de quatre ans et demi que les époux ne se sont pas vus. Leur rencontre n'a évidemment pas lieu dans la cellule du marquis mais dans la salle du conseil du château, appellation pompeuse pour un lieu sinistre. Ils n'y sont pas seuls mais sous la surveillance de l'inspecteur de police Boucher. La marquise est bouleversée par l'émotion. Au trouble de ces retrouvailles s'ajoute sa triste surprise en constatant les dégradations que l'enfermement a opérées sur la physionomie de son mari : il a beaucoup grossi ; son visage blême, bouffi par l'abus de sucreries, est encadré de longues mèches de cheveux grisonnants qui pendent de son crâne dégarni.

Chez Renée Pélagie l'âge a causé moins de ravages, mais la coquetterie avec laquelle elle s'est vêtue en tâchant de masquer l'usure de sa toilette ne parvient pas à cacher l'alourdissement de sa silhouette. Chacun des deux conjoints révèle à l'autre, par son propre déclin, les dégâts que les épreuves lui ont infligées. Il leur est interdit de chuchoter, ce qui exclut les confidences. Leurs propos se limitent par conséquent aux banalités d'usage. On évoque les enfants, les ennuis de santé, les questions matérielles que Sade réduit à ses propres besoins. Beaucoup de non-dit sous les phrases convenues. La visiteuse perçoit pourtant une très forte tension dans l'attitude du marquis, et surtout une fulgurance du regard qu'elle attribue à la fureur qu'il ressent de ne pouvoir s'exprimer librement.

Heureusement pour elle, la présence du policier lui aura épargné le déchaînement de reproches et d'injures qu'expriment en réalité les yeux fulminants du détenu. Elle obtient quelques jours plus tard l'explication de cette colère dans la lettre que lui adresse Donatien en vue d'une nouvelle visite : « J'exige que vous veniez en robe que vous appelez, vous autres femmes, "robe de chambre", en grand et très grand bonnet, sans aucune espèce de coiffure dessous, que vos cheveux soient uniquement peignés. Pas la plus petite apparence de boucles fausses, un chignon et point de tresse, point de corps [allusion aux formes mises en valeur par la légèreté de la robe], et la gorge extraordinairement couverte et non indécemment débraillée comme l'autre jour, et que la couleur de votre robe soit on ne peut plus sombre. »

C'est bien involontairement que madame de Sade, lors de cette première visite, a déclenché la colère de son mari. Soucieuse de lui plaire, elle n'a pas prévu que sa coquetterie, pourtant bien discrète, provoquerait chez lui une insoutenable frustration, brimé qu'il est dans ses mâles ardeurs. De ce fait, elle et le policier présent ce jour-là se retrouvent étonnamment liés dans la colère que leur voue le marquis.

En témoigne cette autre lettre dans laquelle il renouvelle ses reproches concernant la tenue vestimentaire de sa femme la première fois qu'il l'a revue : « Pourquoi ne me réponds-tu pas au sujet de ma demande instante que Boucher ne t'accompagne pas ? Quelqu'un peut-il t'y forcer ? [...] Je te donne ma parole d'honneur que si Boucher t'accompagne et que tu sois encore mise en putain comme la dernière fois, je ne descends pas. Ce sera ma première question quand on viendra me chercher : Boucher y est-il ? Est-elle encore habillée comme la dernière fois ? À l'affirmative, je ne descends pas. À la négative, peut-être on me trompera, alors je descends, mais aussitôt Boucher ou la robe blanche et la coiffure en cheveux entrevus, je remonte à l'instant, je le jure sur mon Dieu et sur mon honneur, et veux passer pour le plus lâche des hommes si je varie. »

Plus qu'une simple anicroche, l'incident de la robe

blanche et des cheveux lâchés a provoqué chez le prisonnier une violente crise de jalousie. Surpris par l'apparente désinvolture avec laquelle sa femme s'est habillée et coiffée pour lui rendre visite au lieu de se présenter modestement à lui sous les traits d'une épouse éplorée, il a été saisi d'un terrible doute quant à sa fidélité. Exaspéré, il l'accuse de coupables faiblesses envers un jeune garçon, jadis serviteur de l'abbé de Sade et récemment monté à Paris où il a effectué quelques courses pour la marquise.

« Je crois le fait faux, prend soin d'affirmer Donatien tout en continuant d'accuser sa femme, mais vous avez jeté le soupçon, le voilà enraciné dans mon âme... J'approfondirai, je vérifierai : je ne trouverai rien – je l'espère du moins –, mais le soupçon aura germé, et dans le caractère qui est le mien c'est un poison lent dont les effets journaliers accroissent le ravage sans que rien au monde puisse en arrêter le progrès... Oh ! ma chère amie, je ne pourrai plus t'estimer ! Est-ce vrai ? Dis-le-moi, m'as-tu trompé aussi cruellement ? Quel avenir affreux si cela est !... Adieu. Tu vois comme je suis calme et comme j'ai besoin de te voir seule. Obtiens-le donc, je t'en conjure. »

À l'évidence, une telle lettre n'est pas celle d'un homme trompé. Sade n'a jamais cru sérieusement à la trahison de son épouse. Le ton de sa missive aurait été autrement cruel, cinglant et vengeur s'il avait été vraiment convaincu de son infortune. On décèle plutôt dans cette supplication plaintive une extraordinaire aspiration à se sentir aimé. À moins qu'il ne s'agisse, plus vraisemblablement, du jeu d'un comédien qui cherche à se distraire de l'effroyable monotonie carcérale en se glissant dans le rôle du cocu.

Plus facilement sensible aux frémissements du cœur qu'à l'emphase théâtrale, c'est à la première hypothèse, le besoin d'être aimé, que se rallie Renée Pélagie, tombant du même coup dans le panneau du comédien. Elle se justifie ainsi des calomnies dont elle a été accablée : « Mon tendre ami, que tu me connais mal si tu peux me soupçonner d'une pareille horreur. Tranquillise-toi, je t'en conjure. Il n'y a pas le plus petit fondement à tes soupçons... Je ne peux m'empêcher de rire, en t'écrivant, de l'extravagance de tes soupçons... Mon cœur n'est point changé, il t'adore toujours. La seule vengeance que je te garde, c'est de te tirer les oreilles à ta sortie et de te faire convenir devant témoin, après toutes les vérifications, que tout ce qui t'a passé par la tête pendant ta détention sont des extravagances des plus pommées. » Autrement dit, les idées les plus folles.

Le ton enjoué qu'elle adopte pour ridiculiser les craintes de son mari ne doit pas faire illusion. Elle est en réalité profondément affectée par ces injustes accusations, qui sont d'autant plus douloureusement ressenties que la victime n'est pas seulement blessée à l'âme : elle souffre aussi dans sa chair depuis plusieurs mois. Épuisée par les sacrifices que lui infligent la pauvreté, la faim, le froid, elle subit en outre, en guise de traitement des rhumatismes, les ravages des sangsues qui lui pompent le sang. Pitoyable mais stoïque, elle nie la maladie comme s'il s'agissait d'une faiblesse de caractère, veillant à ne rien laisser paraître de son dénuement, surtout aux yeux de sa famille. Elle vendra l'un de ses derniers bijoux pour offrir un cadeau de mariage à sa jeune sœur, Françoise

Pélagie, qui va épouser le marquis de Wavrin. Rien ne lui importe plus que de préserver sa dignité.

C'est donc une insupportable blessure que lui inflige le marquis dans sa lettre du 10 mai 1782. Elle a eu l'audace de lui conseiller de ne plus dire de méchancetés des gens dont il dépend. Quel outrage ! « Je ne dépends que du roi, lui répond-il avec cette cinglante morgue aristocratique que sa déchéance n'a pas émoussée. Je vous conseille de changer votre style esclave et rampant. Si le malheur vous a avilie, tant pis pour votre âme ; ne l'affichez pas au moins, car ça ne vous ferait pas honneur. »

Terriblement meurtrie par l'offense, madame de Sade se recroqueville sur elle-même. Elle n'écrit plus au prisonnier et cesse de lui rendre visite. Mais lui, toujours aussi superbement indifférent à la sensibilité de sa femme, attribue ces silences et cette absence à la maladie. Il se déclare alors prêt à tout faire pour venir en aide à Renée Pélagie – « S'il te fallait ma vie, mon sang pour te sauver, il n'y aurait rien que je ne fisse » –, réaffirmant au passage « les sentiments très réels et très délicats que j'aurai toute ma vie pour toi ».

Peu habituée à de tels élans de générosité conjugale, l'objet de tant d'attentions fond littéralement de bonheur et, brisant son long silence, s'empresse de répondre : « Je hasarde, mon tendre ami, ce billet pour voir s'il passera. N'y vois rien d'autre que l'assurance de toute ma tendresse pour toi. Elle est incapable de s'affaiblir. Mon Dieu ! que tu aurais tort d'en douter ! Oui, je t'aime avec toute la violence possible, et rien ne peut l'exprimer que bien au-dessous de ce que je la ressens. »

Ces aveux passionnés ont-ils pour effet de solliciter les confidences les plus intimes du marquis ? Toujours est-il que dans une longue lettre à sa femme il lui fait part des soucis que lui inspirent ses pratiques sexuelles. Jouant sur les mots pour masquer les détails les plus indécents derrière le rideau de l'humour, il place son discours sous le double signe de la vanille et de la manille : d'une part, le fruit exotique dont on extrait l'arôme qui parfume les confiseries et auquel on prête des vertus aphrodisiaques ; d'autre part, le jeu de cartes que les Espagnols surnomment « petite malicieuse » et qui, dans le code sadien, évoque plutôt ses manipulations masturbatoires. « Je sais bien, écrit-il, que la vanille est échauffante et qu'il faut user modérément de la manille. » Mais ces préceptes étant posés, il avoue se livrer à plusieurs séances quotidiennes d'onanisme. « Il n'y a pas là de quoi se récrier, je crois, et c'est bien raisonnable, affirme-t-il. D'ailleurs, quand l'habitude est prise, ça n'incommode pas. »

Suivent quelques considérations philosophiques concernant sa propre sagesse qu'il juge « véritablement exemplaire malgré les effets néfastes de la prison ». Puis il en vient au véritable objet de sa lettre : faire part à son épouse des inquiétudes que lui inspirent les troubles qu'il présente lors de ses exercices solitaires. Il use à cette fin de surprenantes métaphores – « l'arc mal tendu », « la flèche qui ne veut pas partir » – dont la psychanalyse fera plus tard ses choux gras et finit par révéler qu'il souffre, dans ces circonstances, « de convulsions, de spasmes et de douleurs ». « C'est véritablement une crise d'épilepsie », explique-t-il. Il est alors convaincu d'être victime d'un «défaut de conformation que n'ont certainement pas les autres hommes, défaut qui s'est moins aperçu dans ma jeunesse et qui va, à mesure que j'avancerai en âge, se manifester toujours avec plus de force, et cette idée me désespère». En conclusion, il demande à la marquise de lui trouver un médecin de confiance auquel elle pourra décrire tous les symptômes qu'il vient d'évoquer.

Renée Pélagie ne paraît pas se préoccuper outre mesure des inquiétudes de Sade. Il n'est d'ailleurs bientôt plus question des crises d'épilepsie ; reléguées dans l'interminable litanie des plaintes du prisonnier, elles succèdent aux hémorroïdes, aux brûlures d'estomac, aux tracas intestinaux, aux fluxions de poitrine, aux crachements de sang, aux inflammations oculaires, aux « vapeurs » et autres manifestations hypocondriaques.

Rien d'étonnant, d'ailleurs, à ce que Donatien, emprisonné à Vincennes depuis plus de cinq ans dans de rudes conditions et totalement ignorant de la durée de son incarcération, souffre de troubles réels. Il n'est pas non plus surprenant que son caractère en soit affecté. Et qui est la victime obstinée des sautes d'humeur du despote ? Renée Pélagie, sa discrète et patiente épouse, dévouée jusqu'à la servitude, dont elle n'est souvent récompensée que par la moquerie et l'humiliation. Le marquis n'hésite pas à la traiter de harengère, d'imbécile, d'abominable fourbe... Elle est lasse des impardonnables injures, rebutée par les vexations. « J'ai reçu ce matin, lui écrit son cher époux, une lettre de vous qui n'en finissait plus. N'écrivez donc pas si long, je vous en prie.

Croyez-vous que je n'ai autre chose à faire que de lire vos rabâchages ? »

Blessée dans son amour-propre, irritée par l'impudence d'un homme qui n'hésite pas pour sa part à lui envoyer de délirantes lettres-fleuves, elle décide de réagir. Sa correspondance se raréfie, ses visites s'espacent. Car le prisonnier a trouvé un nouveau motif de conflit à propos de leur fils aîné, Louis Marie. Ce dernier, engagé dans la carrière des armes, est sur le point de recevoir ses galons de sous-lieutenant d'infanterie. Or son père s'oppose absolument à ce choix : il exige que le garçon suive son exemple en choisissant la cavalerie.

Agacé par le silence de sa femme, il s'énerve et lui transmet une lettre injurieuse : « J'ai tort de vouloir vous redresser et mon injustice est aussi grande que celle d'un homme qui entreprendrait de prouver à un cochon qu'une crème à l'eau de rose vaut mieux que de la merde. Vous tenez à vos principes et moi aux miens. Mais la grande différence qui se trouve pourtant entre nous deux est que la raison étaie mes systèmes et que les vôtres ne sont que le fruit de l'imbécillité. »

Renée Pélagie ne répond pas. Elle continue pourtant de s'occuper des besoins matériels de son mari, lui faisant passer un message pour lui réclamer son linge sale. L'autre saisit aussitôt ce prétexte pour renouer des liens familiers avec elle. Il le fait par l'intermédiaire d'une interminable lettre dont le style, enjoué jusqu'à la dérision, lui permet de restaurer le ton de la complicité conjugale. C'est un véritable chef-d'œuvre épistolaire qu'il parsème de mots doux colorés d'une ironie acerbe : « Charmante créature, mon ange, mon petit chou, ma lolotte, mon petit toutou, jouissance de Mahomet, tourterelle chérie, porc frais de mes pensées, chatte céleste, doux émail de mes yeux, étoile de Vénus, âme de mon âme, miroir de beauté, aiguillon de mes nerfs, violette du jardin d'Éden, dix-septième planète de l'espace, quintessence de virginité, symbole de pudeur, rose échappée du sein des Grâces, charme de mes yeux, flambeau de ma vie. »

La marquise, tant de fois échaudée par les revirements d'humeur de Sade, ne se laisse guère émouvoir par l'étincelante fantaisie de son numéro de séduction malicieuse. Elle continue donc de bouder mais reçoit bientôt de lui une sorte de réquisitoire qui va littéralement l'anéantir. La missive est d'autant plus cruelle que son auteur prend soin d'affirmer que ce qu'il y exprime « est le produit d'une méditation aussi longue que calme et refroidie ». Comme à l'accoutumée, il vitupère contre sa belle-mère qui s'est fait « un délice, une jouissance » de le faire enfermer. « Ensuite, commente-t-il, pour tranquilliser sa conscience elle a voulu que d'autres examinent si réellement je pouvais être coupable. Et vous m'avez jugé coupable, parce que vous désiriez que je le fusse. Il est donc clair que dans tout ceci j'ai été sacrifié, et il est bien clair que si vous aviez eu un peu d'âme, vous n'auriez pas dû le souffrir... Mais vous êtes une poule mouillée, et le dernier qui vous tient a toujours raison avec vous. »

Ce reproche, dont l'injustice est patente pour quiconque se souvient de l'insondable dévouement avec lequel Renée Pélagie a toujours assisté son conjoint, est très cruellement ressenti par sa destinataire. Elle a tout enduré, les injures, les sarcasmes, mais elle ne peut supporter de voir sa loyauté mise en doute. Qu'on l'accuse de traîtrise en allant jusqu'à la qualifier de « bourreau à gages », voilà qui fait déborder la coupe, et cela pèsera lourd sur le comportement futur de madame de Sade. Une profonde fissure vient d'apparaître dans son attachement pour son mari.

Le 3 février 1784, celui-ci récidive. Il s'en prend aux « charmantes personnes qui, prétend-il, mènent sa femme comme une oie, par le bout du nez. Vous m'avez déjà compromis avec ce pauvre Amblet que j'aime de tout mon cœur, avec Milli de Rousset, avec mes enfants, et vous le feriez avec toute la Terre si vous le pouviez ».

Ce dernier reproche est particulièrement malséant. En effet, à peine est-il formulé que Renée Pélagie apprend la mort de mademoiselle de Rousset, survenue à la fin de janvier au château de La Coste. Bien que profondément affligée, elle n'en dit rien à Donatien. On se souvient qu'elle a agi de même lors du décès de sa sœur Anne Prospère en mai 1781. Pourquoi ce silence ? Afin d'épargner au marquis le chagrin d'une disparition ? Peut-être pense-t-elle plutôt qu'il s'est rendu indigne de celles qui l'ont aimé.

Quant aux enfants, ils ont été soigneusement tenus dans l'ignorance des aventures et des déboires de leur père, qu'ils ne connaissent guère. Lors de son incarcération à Vincennes, ils étaient âgés de six, huit et dix ans. On leur a toujours dit, pour expliquer son absence, qu'il était parti en voyage. Il est peu probable que parvenus à l'adolescence les jeunes

Sade aient continué de gober cette fable. Quoi qu'il en soit, le détenu du donjon ne peut décemment prétendre que sa femme ait dressé ses enfants contre lui.

Le 14 février 1784, madame de Sade rompt enfin le silence. Elle fait parvenir à son époux un billet désabusé et aussi glacial que l'atmosphère qui fait alors grelotter les Parisiens : « J'ai l'honneur de t'embrasser avec respect ou sans respect, Monseigneur ou Monsieur, cela est absolument égal. » Quelques jours plus tard, inspiré par une sorte de prémonition, le marquis lui écrit au sujet de sa sortie de prison : « Encore une chimère ! Soit ! Nous avons le temps d'y penser. Je vous l'accorde. Mais toujours est-il que des lettres et des propos l'autorisent. » Apparemment, il a perçu les indices de son prochain départ. « Je vous renouvelle le serment sur tout ce que j'ai de plus sacré, insiste-t-il, que je n'accepterai aucune espèce d'arrangement ni de composition en sortant d'ici, que je souscrirai à tout pour sortir et qu'une fois dehors vous et mes enfants viendrez habiter avec moi telle partie du monde que bon me semblera. »

Présage troublant, mais chimérique. De fait, le départ aura bien lieu, mais il ne s'agira vraiment pas d'une libération. Le 29 février 1784, à neuf heures du soir, le prisonnier est installé sous bonne garde dans un coche aux portières verrouillées en compagnie de deux autres détenus, le comte de Malleville et monsieur de Solages. Tous trois sont conduits à la Bastille. Le marquis se retrouve logé au deuxième étage de la tour ironiquement baptisée Liberté. Dès le lendemain, il en informe sa femme qui, elle non plus, n'a pas été prévenue de ce transfert. Convaincu du contraire, il s'empresse de lui reprocher ce qu'il considère comme une nouvelle trahison : « Eh bien, ma très chère et très aimable et surtout très franche épouse, me trompiez-vous joliment quand vous me promettiez, à chacune de vos visites, que ce serait vous qui viendriez me chercher, que je sortirais libre et que je verrais mes enfants ! Était-il possible d'être plus bassement fourbe et menteuse ? »

Cette fois encore, madame de Sade passe outre aux injures. Dès qu'elle a connaissance du nouveau lieu d'internement de son mari, elle s'active afin d'obtenir un droit de visite. Le 16 mars, elle peut enfin franchir la grille du poste de garde de la Bastille. Elle passe trois heures en compagnie de Donatien qu'elle découvre dans le plus total dénuement, mal logé, mal chauffé. Soumise à ses récriminations, elle entreprend dès le lendemain les démarches qui vont permettre l'installation de quelques meubles dans la nouvelle geôle et la récupération de tous les objets accumulés dans la cellule de Vincennes : livres, manuscrits, gravures, flacons, étuis… La semaine suivante, elle obtient l'autorisation de rencontrer le prisonnier deux fois par mois.

Le transfert de Sade à la Bastille semble bien avoir différé l'éventualité d'une prochaine libération. Sa réclusion s'installe irrévocablement dans la durée. Bizarrement, Renée Pélagie en éprouve une sorte de quiétude.

VII

La rupture

Plus la captivité du marquis se prolonge, plus son épouse voit s'accroître sa propre liberté. C'est bien ce qui fait enrager le prisonnier, conscient de sentir sa femme échapper peu à peu aux contraintes dont il l'accablait. Attendant tout d'elle, il ne peut néanmoins exercer qu'une autorité verbale ; il ne s'en prive pas, recourant pour sauver la face aux excès de langage poussés jusqu'à l'injure. Vaine compensation.

Renée Pélagie, quant à elle, découvre les obligations du pouvoir, mais aussi de petits plaisirs qu'elle goûte sans mesquinerie et sans faiblesse. C'est elle qui, notamment, tente de contrôler la gérance exercée sur le château de La Coste par Gaufridy, le notaire d'Apt. En octobre 1784, elle s'inquiète d'un râtelier à installer dans la grande écurie, de murs qui menacent de s'ébouler et d'un pont qui s'est abattu. « Il faut réparer, ordonne-t-elle, par crainte qu'il n'arrive malheur aux hommes et aux bêtes, car l'on serait tenu au dommage. » Elle se soucie aussi du prix du blé qui a diminué de dix sols : il faudrait vendre la récolte au plus vite. Et puis elle n'oublie pas de demander l'envoi d'une somme de neuf cents livres à expédier par Avignon, voie moins coûteuse que celle d'Aix. « Je suis à sec », précise-t-elle avec franchise.

Bref, elle qui approche de ses quarante-quatre ans se comporte désormais avec beaucoup plus d'assurance. Comme Marie Arnoux dans *L'Éducation sentimentale*, elle touche « au mois d'août des femmes, époque tout à la fois de réflexion et de tendresse, où la maturité qui commence colore le regard d'une flamme plus profonde, quand la force du cœur se mêle à l'expérience de la vie ».

Tels sont les états d'âme qui inspirent la marquise lorsque le 30 juillet 1785 elle parvient à remettre à son mari le billet qu'elle a glissé dans son manchon : « Il n'y a pour moi qu'un véritable bonheur, c'est d'être unie à toi et que tu sois content et heureux. Tu me verras toujours d'accord avec tes volontés, pourvu qu'elles ne puissent te nuire. Nous vivrons et mourrons ensemble. »

Ainsi s'exprime, avec les mots les plus simples qui soient, l'incoercible passion de madame de Sade. Passion maintes fois bafouée par les odieuses rebuffades de son mari, mais qui ne demande qu'à rejaillir au moindre signe de tendresse. Toutefois, les moments d'harmonie sont rares. Le détenu ne s'habitue pas au dur régime de la Bastille. Il ne cesse de protester contre l'insuffisance de la nourriture, peste contre le poêle qui l'enfume, s'insurge contre l'obligation qu'on lui fait de balayer sa cellule, insulte les gardes qui le bousculent, baïonnette au fusil.

Le marquis de Launay, gouverneur de la Bastille,

n'apprécie pas du tout les grands airs de ce personnage qui perturbe la discipline de la forteresse. Il est aussi choqué par la violence des « torrents d'injures et de sottises » que Sade assène à son épouse à chacune de ses visites. Aussi décide-t-il d'en informer le lieutenant général de police, Louis Thiroux de Crosne : « Je pense, Monsieur, que c'est un service à rendre à sa femme et à sa famille de n'accorder cette permission [de visite] que pour une fois par mois. »

Voilà qui allégera quelque peu la besogne de Renée Pélagie, surchargée de diverses tâches depuis que le brave La Jeunesse, le dévoué et si astucieux serviteur, est tombé malade. Malgré les soins qu'elle lui prodigue pendant six semaines, il meurt le 24 mai 1785. Il n'a pas seulement été le secrétaire attentif qui recopiait les brouillons des œuvres de son maître. Il a aussi été le complice de ses frasques, de même que le compagnon de ses aventures et de ses fugues, notamment à Venise où il a escorté Sade et Anne Prospère de Launay. Il a d'ailleurs fini par apparaître comme une sorte de double caricatural de Donatien, notamment au cours du fol été de La Coste, lorsqu'il est devenu l'amant de la Gothon, abandonnant pour elle femme et enfant.

On pourrait être tenté de voir en lui une réplique de Leporello, le valet de Don Juan, médiocre comptable des conquêtes du cynique séducteur. Ce serait faire injure au rôle totalement désintéressé de protecteur, plus que de serviteur, que Carteron, alias La Jeunesse, a assumé auprès de la marquise durant les années de plomb, tandis que Sade était en prison. Seule son humble naissance interdisait qu'il fût considéré et traité comme un ami. Renée Pélagie dissimule donc ce deuil sous une peine silencieuse.

Réglée par la routine de ses visites au prisonnier, la vie de cette dernière s'est enlisée dans une triste monotonie, avare d'événements, et qui pourtant accapare tout son temps. D'où sa surprise lorsque le 18 août, se présentant comme d'habitude à la grille de la Bastille, elle s'en voit interdire l'accès. Pour quelle raison ? Mystère. Elle n'apprendra que trois jours plus tard, comme tous les Parisiens, le motif de ce contretemps. Si le gouverneur de Launay a momentanément interdit l'accès de sa geôle, c'est parce qu'il a dû y interner un prisonnier exceptionnel : le prince cardinal de Rohan qui vient, sur ordre du roi, d'être arrêté à Versailles dans la galerie des Glaces pour son implication dans l'affaire du Collier de la reine.

Rocambolesque histoire : désirant follement obtenir les faveurs de Marie-Antoinette, ce haut personnage s'est laissé abuser par deux voisins de son somptueux palais du Marais, le sulfureux comte de Cagliostro et l'intrigante comtesse de La Motte. Prétendant lui obtenir un entretien avec la souveraine, ils ont organisé de nuit dans les jardins de Versailles, au bosquet de la Reine, une rencontre au cours de laquelle le cardinal a baisé une main qu'il a cru être celle de Marie-Antoinette mais qui n'était que celle d'une simple modiste nommée Marie Leguay.

Encouragés par la crédulité de Rohan, Cagliostro et madame de La Motte n'ont eu ensuite aucun scrupule à le convaincre qu'il parviendrait à ses fins en offrant à la reine un bijou de grande valeur. De fait, le prélat a passé commande d'une parure d'un million six cent mille livres, prix faramineux correspondant à l'achat et à l'armement d'un gros vaisseau de ligne. Évidemment, le somptueux collier n'a jamais été remis à la reine. Détourné par la comtesse de La Motte, il a été vendu au détail, pierre par pierre. Le scandale a éclaté lorsque le cardinal n'a pu honorer l'une de ses échéances vis-à-vis des joailliers.

Après avoir comparu devant ses juges, Rohan sera purement et simplement relaxé. Sade aura beau jeu de comparer son cas à celui du prélat : « Ainsi donc, j'aurai souffert douze ans, sur quoi près de huit de prison, et tout cela pour des putains ! Eh ! que m'aurait-on fait, grand Dieu, que m'aurait-on donc fait si j'avais trahi l'État ? Et voilà donc comme la justice s'observe et comme les punitions se proportionnent en France ! »

Si scandalisé soit-il, il n'est pas encore à l'abri de nouvelles surprises. S'il y a longtemps que sa belle-mère ne s'est pas manifestée, c'est parce qu'elle manigance depuis plusieurs mois une affaire qui n'a d'autre objet que de le déposséder de ses droits financiers et paternels. La Présidente s'est acquis à cette fin la complicité de Richard de Sade, grand prieur de Toulouse et oncle du marquis. C'est un vieillard cacochyme qui va bientôt mourir, non sans avoir auparavant dépêché à la Bastille deux notaires chargés d'extorquer à son neveu une procuration lui donnant le droit d'agir au nom de Donatien pour tout ce qui concerne l'administration de ses biens et l'éducation de ses enfants. Renée Pélagie se verrait du coup privée elle aussi de ces mêmes droits.

Furieux, le détenu refuse énergiquement de signer

ladite procuration. Mais il en faut plus pour intimider la Présidente. Elle convoque un conseil de famille qui se substituera à son gendre quant à ses affaires, sa femme et sa progéniture. Ce conseil est placé sous l'autorité de l'incontournable Richard de Sade, assez gâteux pour que madame de Montreuil puisse le manipuler à sa guise. Au-delà du coup porté à l'autonomie juridique et paternelle du marquis, c'est, de fait, son épouse qui se trouve frustrée de l'autorité bienveillante qu'elle exerçait sur ses enfants. Elle va en souffrir énormément et, comme toujours en pareille circonstance, chercher dans la religion la force de surmonter sa peine.

Profondément convaincue des bienfaits que lui apporte le secours de la foi, elle s'emploie, la pauvre, à convertir son mari : « Tu tombes dans l'erreur en croyant la dévotion triste. La véritable dévotion n'est point farouche ni sombre, tu le verras. Car je ne quitterai jamais mes devoirs de religion quand tu sortiras, puisqu'un de ses essentiels devoirs est de contribuer à rendre heureux tout ce qui nous entoure. » Vaine tentative de catéchèse s'adressant à un athée absolu qui proclame : « L'idée de Dieu est le seul tort que je ne puisse pardonner à l'homme. »

Renée Pélagie, au contraire, est tout imprégnée de charité chrétienne, autant que d'amour pour son conjoint. On a vu comment elle lui a épargné l'annonce de la mort d'Anne Prospère, éludant toujours ses interrogations sur cette sœur qui, manifestement, hante encore ses pensées. Mais soudain, le marquis semble saisi d'un doute ; il pose des questions très précises auxquelles sa femme peut difficilement se dérober.

Le 18 avril 1787 elle s'exécute, s'empêtrant maladroitement dans son horreur du mensonge : « Le silence que je m'étais imposé pour ne point te parler, mon tendre ami, de ma sœur, était bien raisonnable, puisque de l'avoir rompu par envie de te satisfaire ne sert qu'à te faire tirer de fausses conséquences et t'inquiéter. C'est pour la dernière fois que je t'en parle. Tu exiges que je te réponde à ces questions-ci, me jurant de ne plus même ouvrir la bouche et de te calmer. C'est donc pour te calmer que je vais y répondre. Quelle est la raison qui la fait sortir de chez ma mère ? Nulle qui te regarde, ni qui la déshonore. Est-elle mon ennemie ? Non. Quel est le genre de son logement, sans désigner ni rue ni quartier ? Quel qu'il soit, cela ne peut te nuire. Cette réponse devient inutile à te faire. »

Ces mots trahissent la gêne de la marquise à taire la mort d'Anne Prospère, mais aussi l'agacement que lui inspire l'intérêt affectif mêlé de souvenirs sensuels qu'évoque encore sa sœur dans la mémoire de Sade. Il se peut en outre que malgré sa bonté d'âme elle éprouve quelque embarras à réprimer l'amertume qu'a pu susciter en elle la trahison de sa cadette. Ce refoulement est-il à l'origine d'une réaction maladive ? Toujours est-il qu'elle doit s'aliter, terrassée par un accès de ce que l'on nomme alors la « fièvre rouge », une forme de scarlatine qui l'immobilise durant plusieurs semaines et dont elle se rétablit grâce à sa robuste constitution plutôt que sous l'effet des purges dites « surnuméraires » qu'on lui administre.

Pendant toute cette période, le prisonnier est privé des visites de son épouse. Il en est certainement frustré, surtout à cause des conséquences de cette absence sur son confort matériel. L'isolement signifie pour lui la privation de tout ce qu'il attend d'ordinaire de Renée Pélagie : les livres, le linge, diverses gâteries. Mais peut-être aussi, l'âge et la captivité aidant, a-t-il besoin des marques d'affection de sa femme. Quand il a reçu d'elle un portrait peint en miniature et encadré d'écaille, il n'a pas cherché à dissimuler la joie causée par ce « présent cher et divin dont les sensations toujours multipliées sèmeront, en dépit des méchants, jusqu'au dernier moment de [son] existence, mille fleurs toujours nouvelles sur les épines de la vie ».

Comment ne pas sourire à la lecture de telles fadaises ? Leur auteur n'est manifestement pas doué pour les gentillesses. La marquise ne se laisse d'ailleurs pas attendrir par cette mièvrerie, par cette sensiblerie affectée qui lui paraît absolument vaine et fausse. Elle sait trop bien que le véritable Sade est celui qui, naguère, l'injuriait en moquant son « style esclave et rampant de femme avilie par le malheur ». La fissure qu'il a provoquée entre eux cinq ans auparavant en mettant en doute sa loyauté ne s'est pas refermée.

Le 22 octobre 1788, elle apprend par la rumeur publique que le Dauphin est malade : « Au point de ne pouvoir aller bien loin », écrit-elle à Gaufridy. Il faut prévoir pour la noblesse un deuil de six mois. Aussi demande-t-elle à son notaire de lui faire expédier de La Coste, pour elle-même et sa fille, une caisse de toutes les robes noires qu'il trouvera au château. « Cela sera moins cher que d'acheter du neuf. »

Quelques mois plus tard, le 11 mai 1789, la chronique des événements parisiens, qu'elle adresse régulièrement au même Gaufridy, fait état de désordres populaires et notamment du pillage des manufactures Reveillon, dans le faubourg Saint-Antoine. Le 22 juin, elle rapporte à son notaire les échos qui lui sont parvenus de la séance du Jeu de paume. « Le peuple furieux s'écrie qu'il faut faire danser les calotins, écrit-elle. Même plusieurs prélats ont été insultés. »

À la Bastille, monsieur de Launay a renforcé la garde et fait charger les canons. Il a en outre interdit aux prisonniers de se promener sur les remparts. Cela provoque chez Sade une rage folle. Le 2 juillet, utilisant un entonnoir en guise de porte-voix, il se met à ameuter les passants de la rue Saint-Antoine, hurlant qu'on s'apprête à égorger les prisonniers. Dans la nuit du lendemain, une escouade l'arrache à sa couche et le traîne jusqu'à une voiture qui l'emmène, en chemise de nuit et ligoté, jusqu'à la maison de fous de Charenton, où il est interné.

Six jours plus tard, le 9 juillet, il adresse au commissaire de police du Châtelet, Pierre Chenon, un acte de protestation en bonne et due forme. Il y dénonce « les exécrables vexations, menaces, injures commises envers [sa] personne ». Le 13 juillet, il signe un pouvoir en faveur de son épouse pour qu'elle récupère les nombreuses affaires restées dans sa cellule à la Bastille. Renée Pélagie ne perd pas de temps. Dès le lendemain matin elle se rend auprès de Chenon, qui promet de l'accompagner afin de lever les scellés qui protègent la chambre de Sade.

Tout cela se passe un certain 14 juillet 1789. Il

n'est alors plus question de pénétrer dans la forteresse encerclée par les insurgés qui s'apprêtent à donner l'assaut. Les gardes sont bientôt massacrés, de même que le gouverneur de Launay, dont les assaillants coupent sauvagement la tête avec un couteau de poche. La Bastille est complètement pillée, les cellules n'échappant pas à la razzia. Tout est volé, détruit ou éparpillé : les vivres, les meubles, les tableaux, les vêtements, le linge, les livres, les objets, les papiers. Les manuscrits de Donatien, lorsqu'ils échappent au feu, s'envolent au vent par-delà les murailles. Il ne pardonnera jamais à sa femme de n'avoir pas tout tenté pour récupérer ses précieux écrits, la soupçonnant d'avoir plus ou moins volontairement abandonné à leur sort ces œuvres dont elle ne connaissait que trop bien le contenu obscène et sacrilège. Il se peut en effet qu'elle ait perçu le doigt de Dieu dans la dispersion de ces documents.

Elle vit mal les premières semaines de la Révolution. Effrayée par les bouleversements auxquels elle assiste, elle ne sort plus guère de son couvent de Sainte-Aure. Son tempérament, très conservateur, s'accommode mal des échos qui lui parviennent touchant à la Déclaration des droits de l'homme et du citoyen. Mais elle y réfléchit. On trouve dans sa correspondance une remarque critique touchant aux principes révolutionnaires : « L'égalité est chimérique, sans contredit, dans un État depuis longtemps créé. Pour l'y ramener il faudrait des flots de sang et l'on n'en viendrait pas à bout. »

Bientôt âgée de quarante-huit ans, elle se sent trop lasse pour tenter d'assimiler des idées qui bouleversent ses convictions. Mais elle est encore assez alerte pour donner libre cours à ses tendances réaction-naires. Ainsi, le 17 septembre 1789, elle écrit : « Je m'aperçois que je perds la mémoire, fatiguée depuis deux mois d'entendre tout ce que l'on dit, de penser, de réfléchir, de répondre, de combiner la tension d'esprit, de prendre garde à se compromettre, se méfier de tout le monde, ne savoir avec qui l'on vit, n'oser ni répéter ni applaudir. Il vaudrait mieux être aux galères, l'on saurait au moins ce que l'on a à faire. Tout cela est trop fort pour durer. Le désordre, au point où il est, ramènera l'ordre. »

Ne supportant plus le climat qui règne dans la capitale, elle décide de se réfugier dans la propriété normande des Montreuil à Échauffour. Cette fois encore, elle choisit mal son jour. Elle part le 5 octobre. C'est précisément le moment qu'ont choisi les femmes de Paris, rassemblées en masse à l'Hôtel de Ville, pour se rendre à Versailles afin d'en ramener la famille royale. « Je me suis sauvée de Paris avec ma fille et ma femme de chambre, sans laquais, raconte la marquise dans une lettre à Gaufridy, suivant le flot général dans une voiture de remise, pour n'être pas entraînée par les femmes du peuple qui prenaient de force, dans les maisons, toutes les femmes pour aller enlever le roi à Versailles, et les faire marcher à pied, par la pluie et la crotte. »

Elle va passer plus de cinq mois en Normandie. Elle s'y replie sur son enfance et sur le souvenir des heures de timide bonheur qu'elle a connues là, en compagnie du marquis, peu de temps après leur mariage. Point d'amour, désormais, si ce n'est celui qu'une femme vieillie porte à ses enfants. De son mari ne restent que la rancœur et le dégoût que lui

155

inspire tout ce qu'elle a détesté du personnage : sa perversion, ses injures, ses blasphèmes, ses trahisons, ses vices. Mais surtout, ultime reniement, ce qui l'accable au plus profond d'elle-même, c'est la passion que cet homme lui a inspirée. Désormais, elle n'a plus qu'une issue, celle que lui imposent sa foi, son milieu, son caractère : le repentir.

C'est une femme devenue obèse et quasi impotente que les villageois d'Échauffour voient chaque matin, accompagnée de sa fille, se faire conduire à l'église dans la carriole que mène le vieux Denis, le métayer qui du temps de leur jeunesse lui lançait des œillades. Puis les deux femmes vont s'agenouiller sur les prie-Dieu réservés à la famille de Montreuil, sous le regard d'un christ en bois sculpté. Là est scellée par la prière la décision que Renée Pélagie rumine depuis plusieurs semaines : se séparer de son mari.

Lorsqu'elle rentre à Paris au début de mars 1790, elle est plus ferme que jamais, encouragée par sa mère qui n'a pas cessé, depuis près de vingt ans, de vouloir cette rupture. Mais les événements vont s'accélérer sous la pression des faits. Le vendredi 2 avril, Sade est libéré par l'annulation des lettres de cachet qui lui avaient valu d'être emprisonné. Il quitte Charenton et son premier mouvement est de se rendre au couvent Sainte-Aure pour y retrouver sa femme. Mais arrivé là, stupéfaction ! À peine s'est-il présenté que la sœur portière lui annonce sans ménagement que la marquise refuse de le voir. Fermement éconduit, le voilà à la rue, sans le sou, sans amis – la plupart d'entre eux ont émigré.

Il écrit aussitôt à Gaufridy pour lui faire part du comportement de son épouse qu'il invoque par le biais de la plainte : « Oh ! madame de Sade, quel changement dans votre âme ! Quels procédés horribles ! [...] Mon ami, si vous saviez les indignités que cette femme me fait ! J'écris les larmes aux yeux, je n'en puis dire davantage. » Puis, espérant avoir suffisamment apitoyé le notaire, il lui réclame de l'argent. Mais en attendant, que faire ? Toute honte bue, il se rend chez sa belle-mère qui, sous l'effet de la surprise, ou de la perfidie, lui prête mille deux cents livres ! Cela va lui permettre de se loger et de se nourrir.

Quelques jours plus tard, il reçoit de Renée Pélagie un très court billet par lequel elle l'informe de sa décision de rompre et d'entamer les formalités de séparation. Rappelons qu'à cette époque le divorce n'existe pas encore. Il ne sera instauré que par une loi de 1792. Autrement dit, la procédure que souhaite engager la marquise ne peut aboutir qu'à une séparation « de lit et de table » ; elle ne brise pas le lien matrimonial, réputé indissoluble.

Dans une lettre du 13 juin 1790 à Gaufridy, l'épouse confirme cette décision qu'elle a longuement mûrie : « Monsieur de Sade, en descendant au fond de son cœur, doit rendre justice au motif qui m'y détermine, et subir que cela ne peut être autrement. Pour d'éclat, il en est le maître. Je ne dirai pas ce qu'il me forcera à dire pour me justifier. Mais je le dirai s'il m'y force. » En d'autres termes, elle répugnerait à devoir déballer tous les griefs qu'elle a accumulés contre lui, mais elle n'hésitera pas à le faire s'il s'oppose à leur séparation.

La demande officielle, dûment motivée, est bientôt remise par huissier à Sade qui explose alors de rage : « Toutes les infamies qui ont été dites contre moi dans les cabarets, dans les corps de garde, compilées dans les almanachs, dans les plats journaux, forment la base de ce beau mémoire. Les indécences les plus atroces y sont minutieusement rapportées. C'est un monument de mensonges et de balourdises. » En somme, il ne s'agit pour lui que d'un ramassis de bobards dictés à sa fille par la présidente de Montreuil et par d'odieux confesseurs.

Le 9 juin 1790, l'affaire est jugée. Le Châtelet prononce la séparation demandée par la marquise. Donatien en est d'autant plus contrarié que cette décision implique pour lui une conséquence des plus douloureuses : la restitution des cent soixante mille livres représentant la part de la dot payée en monnaie sonnante et trébuchante par les Montreuil. Il est évidemment incapable de rassembler une telle somme. Il va donc devoir plaider et mégoter. Cette négociation sera menée par maître Reinaud, un avocat d'Aix-en-Provence qui par le passé a déjà été appelé à défendre ses intérêts.

Les transactions, qui dureront plusieurs mois, vont révéler un aspect jusqu'alors méconnu du caractère de Renée Pélagie : la stupéfiante âpreté avec laquelle elle mène ses affaires. Connaissant trop bien l'impossibilité dans laquelle se trouve Sade de rembourser sa dot, elle fait hypothéquer tous les biens de ce dernier et, invoquant ses enfants qu'il lui faut entretenir, exige le versement d'une rente annuelle de quatre mille livres. Le marquis n'en paiera jamais le moindre sou.

La rupture entre les époux est désormais consommée. Ils ne se verront plus et ne communiqueront que rarement, par l'intermédiaire de courts messages ayant trait aux histoires d'argent. Il n'est même plus question des enfants. D'ailleurs leurs deux fils vont quitter la France. Louis Marie démissionnera de son régiment à l'été 1791 afin d'émigrer en Allemagne ; il y sera rejoint l'année suivante par son frère cadet, Claude Armand. Quant à Madeleine Laure, elle vit sous la dépendance totale de sa mère. Son père vient pourtant lui rendre visite de temps à autre au couvent de Sainte-Aure. Il la juge affreuse, lui trouve la silhouette lourde, les traits épais, les yeux qui louchent. Dans une lettre à Gaufridy il en brosse un portrait peu indulgent : « Je vous assure que mademoiselle ma fille est tout aussi laide que je vous l'avais peinte. Je l'ai très bien examinée et je vous assure que, tant pour l'esprit que pour la figure, c'est tout bonnement une grosse fermière. »

Alors âgé de cinquante ans, Donatien s'est assagi. Il mène une vie de petit bourgeois en compagnie d'une comédienne, Constance Quesnet, plus occupée aux tâches du ménage qu'à monter sur les planches. Après toutes ces années d'emprisonnement, de solitude et de brimades, il goûte la quiétude du bonheur ordinaire. À peu de frais, car l'argent lui fait cruellement défaut. Il supplie Gaufridy de lui envoyer des fonds : « Au nom de Dieu, envoyez-moi tout de suite deux mille livres essentielles à finir mon année. Je suis absolument sans le sol. Pressez-vous, je vous en conjure, parce qu'il m'est impossible d'avoir plus besoin d'argent que je n'en ai aujourd'hui. »

Il espère aussi que la prochaine parution de son roman *Justine ou les Malheurs de la vertu* lui rapportera le pécule qu'il en attend. C'est dans ce seul dessein qu'il a écrit cette œuvre délibérément pornographique, à la demande de son éditeur qui lui réclamait un récit « bien poivré ». Le livre connaît un succès très limité qui n'enrichira guère son auteur. Il fait surtout scandale à cause des critiques auxquelles il donne lieu dans les gazettes. C'est ainsi, par ouï-dire, que Renée Pélagie apprend la publication de l'ouvrage. Le nom de « Justine » ne peut lui être indifférent : c'est celui que son mari avait choisi pour rebaptiser la jeune Adélaïde, qu'il était allé chercher à Montpellier au cours de l'hiver 1774. Terrible souvenir qu'elle ne peut se remémorer qu'avec effroi. N'a-t-elle pas été complice des bacchanales nocturnes au cours desquelles son mari « se servait », comme il disait, de ses « poulettes » ? Adélaïde, alias Justine, a été l'une de ces filles.

Loin de se repentir de ces horribles méfaits, voilà que Sade en fait l'apologie dans un livre scandaleux ! Comment ne pas trouver là une justification supplémentaire à la rupture ? La marquise renie définitivement la passion qu'elle a éprouvée pour lui. Jamais elle ne saura qu'Adélaïde n'a que peu de rapport avec la Justine des *Malheurs de la vertu*. Elle ignorera toujours qu'elle a été elle-même, sans doute, la véritable inspiratrice du personnage. Qui mieux qu'elle aurait pu incarner aux yeux de l'auteur la victime absolue, le modèle de la femme aliénée par sa passivité d'esclave, soumise à ses préjugés, asservie par son refus d'une révolte qui, dans le cas de Renée Pélagie, a été bien tardive ?

Il faut se souvenir du féroce avertissement que Sade adressait à son épouse dans sa lettre du 10 mai 1782 : « Je vous conseille de changer votre style esclave et rampant. » Or elle n'a jamais pu se départir de son inclination au martyre. Elle a cultivé depuis sa plus tendre enfance cette force d'acceptation des épreuves, du sacrifice de soi-même, acquise sous la conduite de l'abbé Gaudemar, son précepteur, lorsqu'il la guidait dans la lecture de la vie des saints. Au contact de Donatien, l'athée absolu, le mécréant pervers, elle s'est forgé une foi combative qu'elle a défendue avec un certain panache. Mais désormais, épuisée par l'âge et par les épreuves, elle n'est plus qu'une pitoyable bigote.

Les événements vont d'ailleurs lui infliger de nouveaux tourments. En août 1792, Louis XVI, déchu et enfermé au Temple, n'a plus que l'Église pour alliée. Aussi celle-ci apparaît-elle comme l'ennemie mortelle de la Révolution. En conséquence, les sections révolutionnaires de Paris, sous la pression de Marat, appuyé par Robespierre, décident en septembre le massacre des prêtres réfractaires. Plusieurs centaines d'entre eux, dont plusieurs évêques, sont assassinés. Les établissements religieux ayant échappé au désastre ferment prudemment leurs portes. C'est le cas du couvent de Sainte-Aure. Madame de Sade et sa fille doivent se réfugier dans la propriété familiale de La Verrière, loin de tous ces troubles qui leur inspirent une horreur absolue.

À près de cinquante et un ans, Renée Pélagie souffre à présent de ce mal que La Mettrie, son contemporain, nomme « l'âge décrépit, ce défaut de soi-même ». La voici en outre anéantie par l'angoisse permanente que suscitent en elle les jours sanglants de la Terreur. Aussi s'en remet-elle définitivement à la volonté de Dieu.

VIII

Ultimes souffrances

Éloignée de la capitale et des atrocités qui s'y commettent au nom de la Commune de Paris, Renée Pélagie semble s'être retirée du temps. Il n'y a plus pour elle ni mois, ni jour, ni heure. Ni aujourd'hui ni demain.

Pourquoi faut-il que le 17 août 1792 une lettre vienne soudain l'assaillir dans son refuge ? La paix lui sera-t-elle donc à jamais refusée ? Le message, signé de Sade, exige qu'elle fasse revenir ses fils à Paris : « Je vous déclare que je prends publiquement acte de l'ordre que je vous donne et que, s'ils ne sont pas ici sous quinze jours, je vous dénonce, et vous et votre famille, à l'Assemblée nationale comme les instigateurs de l'émigration de mes enfants. »

Le ton comminatoire de la lettre a de quoi faire frémir la pauvre femme, qui n'ignore rien du stupéfiant engagement révolutionnaire du ci-devant marquis. Dès 1790, il a pris soin d'oublier sa particule et de se faire appeler Louis Sade. Royal prénom !

163

On pourra trouver étrange qu'il s'en soit affublé au moment même où il s'inscrivait comme membre actif de la section des Piques, la très militante cellule révolutionnaire du quartier Vendôme, à laquelle avait aussi adhéré Robespierre.

À l'instar de l'Incorruptible, il se targue d'appartenir au clan des sans-culottes et de la canaille. Faisant preuve d'un bel opportunisme, il s'est réclamé avec force de ses années d'emprisonnement en se présentant comme une victime de l'absolutisme des Bourbons – passant soigneusement sous silence les vrais motifs de ses nombreuses incarcérations : débauche et perversion. Ces emprisonnements suffisent, selon lui, à cautionner ses convictions antimonarchistes. Bientôt, il n'hésitera pas à écrire au ministre de l'Intérieur en affirmant sans vergogne avoir été l'instigateur de l'assaut populaire qui a abouti à la prise de la Bastille. Aux yeux de Renée Pélagie, il appartient bel et bien au camp des « sanguinaires ». Et pourtant c'est à lui qu'elle et sa famille auront recours, car ils sont tous catalogués comme ex-nobles et parents d'émigrés. Lui seul leur paraît être capable de les tirer de leur périlleux embarras.

Le 6 avril 1793, le président de Montreuil, plus timoré que jamais, se présente à la section des Piques pour solliciter la bienveillante protection de son gendre. Ce dernier tient là sa vengeance. Il suffirait d'un billet signé de sa main pour expédier ses exécrables beaux-parents devant le Tribunal révolutionnaire, antichambre de la guillotine. Il n'en fera rien. Fidèle, même sous le bonnet rouge, à ses manières de grand seigneur, il remet aux époux

Montreuil un sauf-conduit qui les met à l'abri des poursuites.

Leur fille, quant à elle, est bientôt tout à fait rassurée quant aux menaces que Sade lui a adressées. En décembre 1793, elle apprend qu'accusé de tiédeur envers Robespierre il a lui-même été arrêté et qu'il vient d'échapper de peu à la guillotine. En éprouve-t-elle du regret ou quelque soulagement ? On l'ignore, mais elle a sans doute trop souffert de la tyrannie de cet homme pour en nourrir encore le souvenir, fût-ce par le biais de sa propre rancune. Peut-être serait-elle moins indifférente si elle savait qu'au cours de l'été il a de nouveau évité l'arrestation de ses parents en effaçant leurs noms sur une liste de suspects.

À jamais réfractaire à toute jalousie, madame de Sade, ainsi qu'elle continue d'être appelée malgré la séparation des époux, n'ignore pas que celui dont elle porte le nom partage depuis quatre ans la vie d'une certaine Constance Quesnet. Constance... « C'est peu d'aimer, il faut aimer toujours : on n'est heureux qu'à force de constance », prétendra Fabre d'Églantine quelques mois avant d'être guillotiné.

Brave Constance, aussi asservie à Donatien que l'a été sa femme : elle connaîtra à son tour le calvaire des compagnes de prisonniers. Le marquis sera d'abord incarcéré aux Madelonnettes en tant qu'« ennemi de la Révolution et de la Liberté », puis à la prison des Carmes, ensuite à Saint-Lazare et enfin à Picpus, renouant avec cette sorte de vocation carcérale qui marque sa destinée.

Mais soudain, en juillet 1794, c'est un sort beaucoup plus tragique qui s'abat sur lui. Son nom figure sur la liste d'une trentaine d'accusés soumis au jugement du Tribunal révolutionnaire. Le réquisitoire du terrible Fouquier-Tinville est sans appel, comme d'habitude : tous les inculpés sont condamnés à mort. Dès le lendemain, leur sinistre charretée s'ébranle à destination de l'échafaud. Tous seront guillotinés. Tous, sauf un : Donatien de Sade. Oubli ? Miracle ? Rien de tel. La providence, en l'occurrence, n'est autre que Constance. C'est elle qui a graissé la patte des geôliers afin d'organiser l'« absence » du condamné. Sans doute espérait-elle seulement gagner du temps. Or ce jour-là, 9 thermidor, l'Histoire va donner un coup de pouce au destin du marquis. L'annonce de l'arrestation de Robespierre se répand dans les quartiers, tel un frémissement de haine dans une foule pourtant blasée. Dès le lendemain, la tête du tyran et celles d'une vingtaine de ses partisans sont tranchées par le bourreau. Un mois plus tard, Donatien retrouve la liberté et sa chère Constance.

Renée Pélagie vit à l'écart de ce tumulte. Vêtue de noir, elle porte le deuil de Louis XVI et de Marie-Antoinette. Ainsi n'a-t-elle pas à renouveler sa garde-robe pour la mort de son père, décédé le 15 janvier 1795 à l'âge de quatre-vingts ans. Elle n'a guère d'autre compagnie que celle de sa fille qui vient d'avoir vingt-quatre ans. Lourdaude et mollasse, les yeux bigles, la pauvre donzelle est dépourvue de toute grâce : impossible à marier. Elle se console dans la bigoterie.

Ses deux frères ne causent pas moins de souci à leur mère, mais pour d'autres motifs. Louis Marie, l'aîné, qui ressemble beaucoup à Donatien, est rentré en France après avoir quitté l'uniforme des cavaliers du Saint Empire. Il est désormais à Paris où il s'adonne à la musique et aux plaisirs du libertinage. Très dépensier, il ne cesse de réclamer de l'argent, surtout depuis la mort de son grand-père de Montreuil dont il guigne l'héritage. « S'il continue ainsi, se plaint Renée Pélagie, il faudra le nourrir comme son père. »

Elle ne cache pas sa préférence pour le cadet, Claude Armand, moins brillant que son frère mais plus affectueux, et dont la présence lui manque depuis qu'il est parti pour Malte où il est chevalier de l'ordre. Voilà qui n'est pas sans inquiéter sa mère. Elle a entendu dire que, le territoire de Malte ne faisant pas partie de la France, son cher fils risque d'être considéré comme émigré, ce qui le rendrait passible de la peine de mort.

À cette angoisse viennent s'ajouter de gros soucis patrimoniaux. En septembre 1796, elle apprend par sa mère, elle-même alertée par le notaire Gaufridy, que Sade a décidé subitement de vendre sa demeure de La Coste. Ce lieu évoque plutôt de mauvais souvenirs dans la mémoire de l'ancienne châtelaine. Pénibles réminiscences dont elle a cru se libérer en les confiant à son confesseur mais qui hantent encore douloureusement sa conscience : les effroyables débauches de l'hiver 1774 et, plus déchirante encore, la vision de sa jeune sœur, Anne Prospère, trop tôt disparue après avoir été livrée, sans qu'elle-même ait tenté d'y faire obstacle, à la luxurieuse et dévastatrice passion de son beau-frère.

La Coste n'est l'objet, chez madame de Sade, d'aucun attachement nostalgique. Ce n'est donc pas au nom du souvenir qu'elle s'oppose à la vente du

167

château mais en vertu de ses intérêts. Elle détient en effet sur les propriétés de ce mari dont elle est séparée une hypothèque correspondant au montant de sa dot augmenté des intérêts, soit près de deux cent mille livres. Une fortune. Férocement décidée à ne pas perdre le moindre liard, elle n'acceptera de lever ladite hypothèque que pour la reporter sur deux propriétés que Sade achète avec l'argent provenant de la vente de La Coste.

Mais voilà que ce montage va capoter à cause d'un décret promulgué par le Directoire. Il s'agit d'exiler les anciens émigrés et de confisquer tous leurs biens. Or Donatien, qui depuis son dernier voyage en Italie en 1776 n'est plus jamais sorti de France, figure pour d'incompréhensibles raisons sur la liste des émigrés. Par conséquent, il est censé devoir quitter le pays sous peine d'arrestation. En outre, la vente de La Coste se trouve annulée en application du décret.

Privé de tout revenu, vivant dans un état proche de l'extrême pauvreté, Sade joue alors le tout pour le tout. Il propose de céder à Renée Pélagie tous les biens qui lui restent, y compris La Coste. En contrepartie, elle lui garantira le versement d'une rente qui lui évitera de sombrer dans le plus total dénuement. Il tente là sa dernière chance, offrant à sa femme une très bonne affaire. Mais il commet une grave erreur : pour achever de la convaincre, il fait appel à sa bienveillance, à son bon cœur. Bévue fatale ! En passant avec elle du langage des affaires à celui des sentiments, il lui offre l'enivrante jouissance d'obtenir enfin sa vengeance : elle lui oppose un ferme refus.

À la somme des ressentiments qu'elle a accumulés contre lui est venu s'ajouter le dégoût que lui inspirent les écrits qu'il a publiés. Elle s'est bien gardée de les lire, certes, mais l'écho des horreurs qui ont fait le succès de ces livres – *Justine ou les Malheurs de la vertu, Aline et Valcour, La Philosophie dans le boudoir* – n'a pas épargné les chastes oreilles de la prude épouse. Au moins l'auteur a-t-il eu la prudence de ne pas laisser diffuser ces monstruosités sous son nom, qui est aussi celui porté par Renée Pélagie et ses enfants.

La ci-devant marquise n'en repousse pas moins fermement les propositions de Donatien, qui se trouve ainsi précipité dans le plus profond marasme. Comme à l'accoutumée, il s'en remet à Gaufridy, se plaignant d'être abandonné de tous : « Funestes enfants, épouse cruelle et maudite ! Mon désespoir est infiniment au-dessus de celui des malheureux plongés dans les tourments de l'enfer. » Il ne s'avoue pourtant pas encore définitivement damné. Risquant une nouvelle tentative, il se propose cette fois de confier à Constance le soin d'émouvoir Renée Pélagie et de la convaincre. Peut-être madame de Sade se laissera-t-elle fléchir... Mais son fils Louis Marie finit par la dissuader d'accepter ce rendez-vous insolite, condamnant ainsi son père à l'impasse.

Ce dernier ne se remettra pas de cet échec. Il va bientôt franchir le seuil de la déchéance. Vieilli – il est alors âgé de cinquante-huit ans –, malade, le visage ridé, le teint blême, souffrant des articulations et en proie à ses lancinantes douleurs hémorroïdales, il a beaucoup perdu de son orgueilleuse assurance. À l'automne 1798, laissant Constance seule à Paris, il émigre à Versailles où il se cache pour échapper à ses créanciers. On sait, par une lettre qu'il adresse à

Gaufridy, qu'il loge rue de Satory sous le nom de « Charles ». Il a obtenu au théâtre de la ville un petit emploi de souffleur qui lui rapporte quarante sols par jour : trop peu pour pouvoir coucher ailleurs qu'à l'hospice.

Une appréciable consolation vient fort opportunément réchauffer son orgueil et sa misère : une de ses pièces, *Oxtiern ou les Malheurs du libertinage*, est jouée dans le petit théâtre de Versailles. Une seule fois, certes, mais la recette lui rapporte quelque argent lui permettant bientôt de regagner Paris et d'y retrouver sa chère Constance.

Excité d'avoir enfin levé le voile de l'anonymat derrière lequel il dissimulait jusqu'à présent ses talents d'écrivain, il fait paraître sous son nom un recueil de nouvelles intitulé *Les Crimes de l'amour*, édité par Massé, dont il a commencé la rédaction alors qu'il était emprisonné à la Bastille. Le livre connaît un certain succès. Les gazettes, qui s'en font assez largement l'écho, ne se privent pas de rappeler que l'auteur est aussi celui d'*Aline et Valcour* et de *Justine ou les Malheurs de la vertu*, d'où la colère de Sade qui ne cesse de renier farouchement la paternité de ce dernier titre, véritable brûlot.

Voilà qui ne peut laisser indifférente la police de Bonaparte, alors Premier consul. Le 6 mars 1801, les sbires de Joseph Fouché perquisitionnent les locaux de son éditeur. Comme par hasard, ils ont choisi le moment où Donatien était présent sur les lieux. Tous ses manuscrits et ouvrages imprimés sont saisis, puis lui-même et Nicolas Massé sont embarqués dans un fourgon et emmenés au Châtelet. Dès le lendemain l'éditeur est libéré ; Sade, lui, malgré les multiples démarches de Constance, va moisir une dizaine de jours dans la crasse du dépôt. Il n'en sort que pour être conduit, ironie du sort, à Sainte-Pélagie, un ancien refuge pour prostituées situé quai de la Tournelle, à deux pas de la maison où logera bientôt son épouse.

Pour l'heure, elle réside en compagnie de sa fille au château d'Échauffour, dont elle a hérité à la mort de son père. Elle a préféré quitter Paris afin de ne pas être mêlée aux querelles suscitées par la succession de la présidente de Montreuil, qui vient de mourir à l'âge de quatre-vingt-un ans. Beaucoup plus cupide, son fils Louis Marie décide de prendre en main les affaires de sa mère et obtient d'elle une procuration. Le clan vorace des Montreuil réagit en la poursuivant devant les tribunaux, non sans lui faire subir d'odieuses manœuvres d'intimidation. On va jusqu'à placarder dans son village normand des affiches couvertes d'injures et d'accusations la traitant de voleuse.

Renée Pélagie a atteint l'âge de soixante ans. Devenue presque sourde, elle souffre en outre d'une cataracte qui lui fait craindre la cécité. Son médecin, Grandjean, la soigne avec les moyens de l'époque : saignées, vésicatoires, traitement des hémorroïdes par application de sangsues, purges à base de jus de cloportes. Elle endure ses maux avec courage, n'exprimant aucune plainte. Elle sait depuis longtemps que seul le silence permet de supporter la souffrance. Elle en rend responsable la rudesse de l'époque, dont elle dénonce les causes avec conviction. « C'est la Révolution, dit-elle, qui a rendu tout le monde dur, insouciant, ne pensant qu'à eux,

171

craintifs à l'excès. Ceux qui ont du nerf, voyant l'impossibilité de réussir, se tiennent cois – à peine osent-ils penser – et se gardent bien de se montrer. Tout est paralysé, sans remède. Voilà la vérité. »

À ses côtés, sa fille fait ce qu'elle peut pour aider sa mère. Totalement inculte, elle parvient à peine à lui faire la lecture, préférant se consacrer à quelques travaux de couture. Du moins quand la domestique lui en laisse le temps, car c'est plutôt elle, Madeleine Laure, qui est la servante de la bonne : « Une gueuse de première espèce, ainsi que Louis Marie décrit cette dernière. Sournoise, hypocrite, voleuse. C'est elle qui mène tout. Elle a réduit [ma sœur] en servitude en lui faisant porter la charge comme à un mulet. »

Voulant éviter de passer l'hiver en Normandie, la marquise et sa fille regagnent Paris où quelques semaines plus tard Renée Pélagie reçoit à sa grande surprise une lettre de Donatien, comme si ce dernier n'avait tiré aucune leçon de l'échec subi en 1797. Il s'agit cette fois – sans entrer dans les détails, effroyablement complexes – de se libérer de ses dettes envers elle en lui abandonnant les domaines qu'il possède encore. En contrepartie, elle lui versera une pension de cinq mille livres par an et, après la mort du marquis, assurera à Constance Quesnet une rente annuelle de mille livres. Ces propositions délirantes, qui font notamment abstraction de la dot que Sade doit toujours rembourser à sa femme depuis leur « séparation de corps et d'habitation » en 1790, ne sauraient être accueillies par leur destinataire que par un haussement d'épaules. Le demandeur lui-même n'est sans doute pas surpris de ne recevoir aucune réponse.

On a vu que Renée Pélagie a suffisamment de soucis pour ne pas chercher à s'en créer de nouveaux. Son fils aîné, qui a hérité de son père un caractère pernicieux, s'acharne à vouloir lui prouver qu'elle favorise son cadet, Claude Armand. « Son projet, écrit-elle à ce dernier, est d'obtenir de moi une contrariété, un mensonge prouvant que je vous préfère à lui. Mais je ne tomberai pas dans ce piège. »

Il faut reconnaître que Louis Marie ne fait guère d'efforts pour s'attirer les bonnes grâces de sa mère : il se trompe, trop souvent à son seul profit, dans les comptes qu'il effectue en traitant les affaires de la marquise, détourne une partie de l'argent provenant d'une vente des bois d'Échauffour, prétend avoir égaré le récépissé de diverses factures qu'il devait régler. « J'ai reçu une lettre de votre frère auquel j'ai répondu vertement, écrit madame de Sade à Claude Armand. Je le prévenais que la honte de sa conduite retomberait sur lui, et je tiendrai bon, sans cependant le déshonorer publiquement. »

À cette époque, le cadet des deux frères est loin de toutes ces chamailleries. Caracolant à Saint-Pétersbourg en uniforme de lieutenant-colonel à la tête des gardes du tsar Alexandre, il se soucie peu des bois d'Échauffour. Il ne rentre en France qu'au début de 1803. À peine s'est-il réinstallé en son logis parisien, dans le quartier de Saint-Roch, que Louis Marie et lui doivent trouver un nouveau lieu de séjour pour leur père. En effet, le vieil homme s'est de nouveau fait épingler par la police. S'étant livré à des manœuvres indécentes sur de jeunes internés de Sainte-Pélagie, il est transféré à Bicêtre le 14 mars 1803.

Bicêtre ! Infâme dépotoir. Cet hospice délabré est

destiné à recueillir les estropiés des guerres, de la pègre, de la misère et de la folie. Par souci d'honorabilité plus que par charité, les fils Sade, appuyés par leur mère, multiplient les démarches auprès des autorités afin que le marquis soit placé dans un établissement moins immonde. Le 27 avril, ce sera Charenton, la maison des fous que Donatien connaît bien pour y avoir séjourné de 1789 à 1790 et qui vient d'être rénovée. Dès le premier jour de son internement il ne cessera de protester contre cette nouvelle privation de liberté, en vain. Il sera enfermé là pendant plus de onze ans. Jusqu'à sa mort.

Recluse elle aussi, Renée Pélagie se terre de plus en plus fréquemment dans son discret château d'Échauffour. Elle s'y fait soigner pour des troubles abdominaux accompagnés de fièvre que son médecin traite avec des tisanes et des grains de terre. Sa fille l'assiste comme elle peut. Louis Marie, son « fils indigne », est venu les rejoindre en Normandie. Il passe ses journées dans sa chambre : il croule sous une masse de livres dans lesquels il puise la matière de l'ambitieux ouvrage qu'il a décidé de consacrer à l'histoire de France. Son manuscrit est édité au printemps 1805 sous le titre *Histoire de la nation française* et bénéficie d'un certain retentissement dans la presse, bien que *Le Journal des débats* lui reproche de faire preuve d'une « érudition superflue ».

Le succès inspire-t-il un vif appétit de gloire à l'auteur ? Se sent-il lui-même emporté par le vent de l'histoire ? Toujours est-il que se réveille en lui le désir de reprendre l'uniforme et de brandir l'épée. Il approche alors de la quarantaine, mais l'armée de l'empereur a trop besoin de guerriers pour ne pas accepter des recrues de tous âges. Louis Marie de Sade sera donc lieutenant au deuxième régiment d'infanterie polonais. Renée Pélagie n'est pas trop fâchée de voir s'éloigner son aîné. Elle n'en ressent pas moins la sourde inquiétude qu'éprouve toute mère quand son fils est exposé au danger, mais elle se félicite surtout que Claude Armand ne manifeste pour sa part aucune intention de s'enrôler sous les drapeaux de la Grande Armée.

En juin 1808, Louis Marie est blessé à la bataille de Friedland, une tuerie dont il évoque l'horreur dans l'une de ses lettres : « Nuit effroyable passée dans la boue et la neige fondue, au milieu des hourras épouvantables des Russes et des cris de nos soldats qui cherchaient à se reconnaître à la lueur des villages livrés aux flammes. » Hélas ! la fierté du lieutenant Sade est quelque peu ternie par le préjudice que lui cause son nom parmi ses compagnons et ses supérieurs. Pour échapper à la déplorable réputation de son père, il demande à changer d'identité. Tel est le but de la requête qu'il adresse à l'archichancelier Cambacérès afin d'être autorisé à prendre le nom de Romanil, porté par l'un de ses aïeux. Vaine demande : Sade il était, Sade il restera. Cette contrariété ne l'incite guère à cultiver l'esprit de famille et l'occasion lui sera bientôt donnée d'exprimer son ressentiment.

Mais revenons-en à son frère. Au printemps 1808, une certaine Marie Françoise de Bimard, épouse du comte de Sade d'Eyguières, cousin de Donatien, entreprend soudain de nouer des liens avec Renée Pélagie. Les deux femmes ne se connaissent que très peu et se sont depuis longtemps perdues de vue. Or voici que madame de Bimard invite la marquise à venir s'installer dans son château de Condé-en-Brie, près de Château-Thierry. Cette subite sollicitude à l'égard de sa lointaine parente n'est évidemment pas fortuite. Elle est motivée par un projet qui tient à cœur à la comtesse : marier sa fille Louise Gabrielle à Claude Armand de Sade. Sans être un laideron, la demoiselle compense par sa modestie l'extrême discrétion de ses charmes. En outre, ayant déjà dépassé la trentaine, elle n'est plus de la première fraîcheur. Mais au regard de sa dot, quel beau parti ! Bientôt âgé de trente-neuf ans, Claude Armand estime que le moment est venu pour lui de s'établir. On se passera de la présence de sa mère pour établir le contrat de mariage. L'important est qu'elle donne son consentement, ce qu'elle fait sans hésiter, avec en prime une donation à son fils chéri.

Reste à obtenir l'accord du pensionnaire de Charenton. Miracle ! Bien qu'il ait eu jadis des relations plutôt distantes avec le père de la fiancée, il souscrit volontiers à cette union. Il ne reste donc plus qu'à convoquer un notaire afin de rédiger le contrat. Mais tout à coup, patatras ! Louis Marie intervient pour jouer les trouble-fête. Follement jaloux de son frère, frustré surtout de le voir empocher une aussi belle dot, il veut faire échouer le projet de mariage. Recourant aux grands moyens, il révèle à Sade un prétendu complot : afin d'éviter que la réputation du futur marié ne soit ternie par l'existence d'un père enfermé chez les fous, les deux familles ont décidé d'expédier le marquis en forteresse, autrement dit aux oubliettes. Trop furieux pour douter des propos de son fils, le prisonnier décide aussitôt de reprendre sa parole et s'oppose aux épousailles.

Jubilation de Louis Marie, consternation des deux mères. Mais elles se ressaisissent. Elles vont farouchement associer leurs énergies pour que le mariage se fasse coûte que coûte. C'est madame de Bimard qui tiendra la plume pour rédiger les lettres destinées aux autorités et c'est madame de Sade qui les signera.

Leur première intervention s'adresse au ministre de la Justice. Il s'agit d'exhumer du passé la vieille tare qui colle à la destinée de Donatien : son inscription sur la liste des émigrés. Accusation aussi odieuse que fallacieuse. Il est patent que contrairement à ses deux fils il n'a jamais quitté la France pour fuir la Révolution. La réponse du ministre n'en est pas moins brève et sans équivoque : toute personne inscrite sur une liste d'émigrés est frappée de mort civile, et par conséquent privée de tous ses droits. En conséquence, l'opposition du marquis au mariage de Claude Armand est tout simplement nulle et non avenue.

Encore faut-il pouvoir exhiber la fameuse liste comportant le nom de Sade. Tel est le motif de la requête que Renée Pélagie adresse au ministre de la Police : le redoutable Fouché signe personnellement la réponse officielle confirmant que Donatien Alphonse François de Sade figure bien sur une liste d'émigrés. Finalement, après les multiples démarches accomplies pendant plus d'un mois par les deux mères devenues inséparables, le tribunal déclare la nullité de l'opposition de Sade au mariage de son fils et le contrat est enfin signé devant notaire. Le 15 septembre 1808, le mariage de Claude

Armand et Louise Gabrielle est célébré dans la liesse à Condé-en-Brie.

Louis Marie n'a pas attendu cette date pour s'éloigner, mais il a été bien injuste envers sa mère – en toute équité elle a partagé ses biens en trois parties égales qui après sa mort doivent revenir à ses enfants. Il éprouve quelque amertume à constater qu'il n'a vécu jusqu'alors que les bribes d'une triste existence : ses rancœurs de fils jaloux, ses sordides escroqueries familiales, ses velléités d'historien, ses projets de mariage avortés, sa liaison sporadique avec une certaine madame de Raynal qui a jadis été la maîtresse de son père. Finalement, c'est au sein de l'armée, dans la guerre même, qu'il a pu donner libre cours à son caractère offensif.

Sa décision est prise : il va épousseter son uniforme et reprendre du service. Son ami Alexandre Cabanis tente de le raisonner : « Tu as quarante ans passés et il me semble que c'est un peu tard pour espérer réussir dans la carrière militaire. Il faut de la jeunesse, de la santé et de la vigueur pour faire la guerre. » Vaine tentative de dissuasion. Quelques semaines plus tard, Louis Marie est affecté au deuxième bataillon du régiment d'Issembourg avec le simple grade de lieutenant. Nouvelle frustration : deux ans auparavant, il portait les galons de capitaine à la bataille d'Iéna.

Avant de partir pour Corfou où stationne alors son régiment, il ne rend pas visite à sa mère qui, impotente et sourde, ne sort plus de son château d'Échauffour que pour aller prier au village, à l'église Saint-André, aux pieds du christ de bois sculpté. Nul adieu non plus à son frère et à sa sœur, pas plus que de salutations à son père qu'il n'a pas revu depuis sa dernière visite à Charenton il y a plusieurs mois.

Quel est l'état d'esprit de Louis Marie lorsqu'il franchit les barrières de Paris le 10 mai 1809 ? Abandonnant derrière lui des ambitions et des amours déçues, il est vraisemblablement en proie à cette mélancolie qu'Eugène Delacroix exprimera quelques années plus tard dans une lettre à son ami Charles Soulier : « Les départs sont des morts. Quand on se quitte, l'espérance de se revoir n'est rien. » On ignore son itinéraire jusqu'en Italie. Toujours est-il qu'il n'a guère le temps de s'attarder dans la contemplation des merveilles de la péninsule. Le 9 juin, il chevauche à hauteur de Naples en direction de Mercogliano sur un chemin tortueux. Le soir tombe lorsqu'il est assailli par une bande de pillards qui le tuent d'un coup de pistolet. On retrouve son corps dépouillé de ses armes et de son argent. N'ont été laissés dans ses poches que quelques papiers que les autorités militaires remettront à son père.

C'est Claude Armand qui apprend à madame de Sade la disparition de ce fils qui, selon les propres mots de sa mère, « n'a cessé de navrer [son] cœur de douleur ». Souffre-t-elle plus encore à l'annonce de cette mort, tandis que son corps l'accable de maux dont les médecins ne peuvent la soulager ? Elle n'en soufflera mot. Peut-être même n'a-t-elle plus assez de force pour connaître le chagrin.

Elle meurt le 7 juillet 1810. Le cortège des villageois, mené par Claude Armand et Madeleine Laure, accompagne le petit corbillard jusqu'au cimetière tout proche de l'église. Le vieux curé d'Échauffour laisse tomber sur le cercueil quelques bribes de latin.

Mais quel plus bel hommage que le silence pour honorer la fin de Renée Pélagie à l'instar de ce qu'a été sa vie : un sacrifice muet subi au mépris des humiliations, sans autre motif que la passion énigmatique qui l'a enchaînée au marquis de Sade.

Épilogue

Impassible égoïste, Donatien de Sade apprend sans émotion apparente la mort de Renée Pélagie. Il n'y fera pas même allusion dans son journal. L'oubli est devenu nécessaire à la tranquillité de l'existence qu'il mène aux côtés de Constance Quesnet. Il jouit en effet d'un privilège tout à fait exceptionnel : sa compagne a été autorisée à venir s'installer dans l'asile de Charenton. Mieux encore, elle n'est pas logée dans le quartier réservé aux femmes mais occupe une chambre qui jouxte celle de son compagnon. Autrement dit, ils vivent là en couple comme chez eux.

Autre traitement de faveur, le marquis est autorisé à reprendre la plume, non sans faire l'objet d'une rigoureuse censure. Il lui est interdit de céder à l'inspiration qui a nourri les livres saisis en même temps que lui chez son éditeur des années plus tôt. En revanche, il peut composer des pièces de théâtre et les faire jouer dans la salle de spectacle de l'asile. Il peut même en assurer la mise en scène en prenant pour comédiens des pensionnaires de Charenton, auxquels se joindront quelque temps plus tard des artistes de l'extérieur. Quant au public, il est loin de se limiter aux malades de l'établissement. La bonne société parisienne, frissonnant à l'idée de venir voir jouer les fous, se presse aux représentations de Sade.

Voilà qui stimule la créativité de l'écrivain. Bientôt il ne se contente plus d'écrire des pièces ou de mettre en scène celles d'autres auteurs : il revient au roman. En 1813, il rédigera *L'Histoire secrète d'Isabelle de Bavière*, *Les Journées de Florbelle*, et fera publier *La Marquise de Gange*.

Mais cela ne suffit pas à épuiser son énergie. À plus de soixante-dix ans il n'a rien perdu de sa fringale sexuelle. Non content de pouvoir partager sa couche avec sa chère Constance, le voici qui soumet à ses pulsions sodomites la fille d'une employée de Charenton.

Par ailleurs, il ne cesse de gémir sur son triste sort, se plaignant de l'oubli dans lequel, dit-il, l'entretient son fils Claude Armand. Ce dernier ne mérite pourtant pas de tels reproches. Lui qui vit à Condé-en-Brie chez ses beaux-parents et qui, en septembre 1814, devient père d'une petite Pélagie Gabrielle s'acquitte de ses devoirs envers son père. Il se rend fréquemment auprès de lui, plus souvent encore en novembre 1814, lorsque Sade donne des signes d'affaiblissement.

Claude Armand est à Charenton le 2 décembre de cette même année pour assister le marquis dans ses derniers moments. Celui que la postérité nommera le « divin marquis » meurt aux premières heures de la nuit. Il est inhumé le lendemain dans le cimetière de l'asile en présence d'un prêtre, au mépris de ses dernières volontés.

BIBLIOGRAPHIE

C'est à Paul Ginisty que l'on doit la première biographie de la marquise de Sade, publiée à Paris en 1901. Curieusement, il fallut attendre 1909 pour que, grâce à Guillaume Apollinaire, fût éditée en France une présentation de l'œuvre de Sade, accompagnée d'une préface évoquant l'histoire et la personnalité du marquis. Par la suite, hormis l'ouvrage de Jeannine Delpech *(La Passion de la marquise de Sade)*, aucun livre ne traite, spécifiquement, de la vie de madame de Sade. Néanmoins, le personnage est évoqué, en contrepoint, dans les nombreuses biographies et autres œuvres plus récemment réalisées sur Donatien de Sade dans l'optique rigoureuse des historiens et des chercheurs. Tel est le cas des travaux d'Alice Laborde et de Maurice Lever, cités ci-après dans la bibliographie, et qui constituent une irremplaçable source d'informations.

ARIÈS (Philippe) et DUBY (Georges), *Histoire de la vie privée*, Paris, Seuil, 1985.

DEFFAND (Marie, marquise du), *Correspondance complète de la marquise du Deffand avec ses amis*, M. LESCURE éd., 2 vol., Genève, Slatkine, 1989.

DELPECH (Jeannine), *La Passion de la marquise de Sade*, Paris, Denoël, 1970.

GINISTY (Paul), *La Marquise de Sade*, Paris, Bibliothèque Charpentier, 1901.

KLOSSOWSKI (Pierre), *Sade. Le philosophe scélérat*, Paris, Seuil, 1947.

LABORDE (Alice M.), *Le Mariage du marquis de Sade*, Genève, Slatkine, 1988.

–, *Le Marquis et la marquise de Sade*, New York, Peter Lang, 1990.

–, *Les Infortunes du marquis de Sade*, Genève, Slatkine, 1990.

LAMBERGEON (Solange), *Un amour de Sade, la Provence*, Avignon, A. Barthélemy, 1990.

LE BRUN, *Soudain d'un bloc d'abîme, Sade*, Paris, Pauvert, 1986 (rééd. « Folio Essais », 1993).

LELY (Gilbert), *Vie du marquis de Sade*, Paris, Pauvert/Garnier, 1982.

LEVER (Maurice), *Donatien Alphonse François, marquis de Sade*, Paris, Fayard, 1991.

OBERKIRCH (Henriette Louise de Waldner de Freundstein, baronne d'), *Mémoires*, Paris, Mercure de France, 2000.

PAUVERT (Jean-Jacques), *Sade vivant*, 3 vol., Paris, Robert Laffont, 1986-1990.

SADE (Donatien Alphonse François, marquis de), *Correspondance inédite du marquis de Sade, de ses proches et de ses familiers*, Paul BOURDIN éd., Paris, Librairie de France, 1929.

–, *Lettres et mélanges littéraires écrits à Vincennes et à la Bastille*, Georges DAUMAS et Gilbert LELY éd., Paris, Garnier, 1983.

–, *Lettres inédites*, Jean-Louis de BAUVE éd., Paris, Ramsay/Pauvert, 1990.

–, *Correspondance du marquis de Sade et de ses proches*, Genève, Slatkine, 1991.

–, *Bibliothèque Sade*, vol. II : *Le Marquise de Sade et les siens, 1761-1815. Papiers de famille*, Maurice LEVER, Thibault et Xavier de SADE éd., Paris, Fayard, 1995.

–, *Lettres à sa femme*, Marc BUFFAT éd., Arles, Actes Sud, 1997.

–, *Anne Prospère de Launay : l'amour de Sade*, Pierre LEROY éd., Paris, Gallimard, 2003.

–, *La Vanille et la manille. Lettre à madame de Sade écrite au donjon de Vincennes en 1793*, Rouen, L'Instant perpétuel, 2003.

SOLLERS (Philippe), *Sade contre l'Être suprême*, Paris, Quai Voltaire, 1992.

THOMAS (Chantal), *Sade, la dissertation et l'orgie*, Paris, Rivages, 2002.

TABLE DES MATIÈRES

Achevé d'imprimer par Corlet, Imprimeur, S.A. - 14110 Condé-sur-Noireau
N° d'Imprimeur : 79184 - Dépôt légal : Juillet 2004 - Imprimé en France